特許翻訳は誰でもできる!

プロの英訳ノウハウを伝授!!

Anyone can translate patents!
Patent translation professionals will teach you know-how!!

【はじめに】

本書は、企業の知財部や特許事務所の外国出願担当者、特許翻訳者のために書き下ろした、特許翻訳の書籍のなかでも数少ない英訳のノウハウを伝授する「教科書」です。しかも、1件の特許出願を皆さんと一緒にほぼ全訳するという斬新なスタイルを採っています。

本書が英訳するのは、著者の所属する奥田国際特許事務所が代理人として日本特許庁に特許出願し、さらに日本特許庁を受理官庁として特許協力条約(PCT)による国際出願を行った「日除け」の発明です。この国際出願を米国に国内移行する際に著者が英訳しましたが、本書の執筆に当たって、一つの和文につき複数の翻訳例を示すため、翻訳し直している箇所もあります。

著者はこれまで3000件以上の翻訳を行ってきましたが、特許明細書や請求の範囲だけでなく、中間書類(拒絶理由、意見書等)、審判書類(取消審判、無効審判等)、訴訟資料(訴状、準備書面等)、ライセンス契約書、特許法解説のプレゼン資料等々、さまざまな書類が含まれていました。

この「日除け」特許出願を題材として、長年にわたる特許翻訳で培ったノウハウを余すところなくお伝えしています。

【機械翻訳は「使いよう」】

特許翻訳は専門性が高いため、機械翻訳を使ったとしても最終的には人間による調整が必須です。実際の特許翻訳の現場では、部分的に機械翻訳を使いつつ、効率的に翻訳業務をこなしています。本書では、機械翻訳の効果的な活用法や調整する際のノウハウ等についても丁寧に解説しています。

【和訳はネイティブ・チェックが不要】

英文の明細書・クレームを和訳するにもノウハウが必要ですが、最終段階のネイティブによるチェックは不要であるという利点があります。日本語は私たち日本人の母国語だからです。完成した和訳を日本人翻訳者が読むことはネイティブ・チェックの作業を行っているも同然です。その点で和訳のみを引き受ける翻訳者も存在します。

【英訳のネイティブ・チェックは必須？】

日本人が英訳を納品する際に、英文のネイティブ・チェックを行うべきか否か――という問題があります。通常は依頼者である翻訳会社やクライアント企業がネイティブ・チェックを行いますが、「翻訳者もネイティブ・チェックを受けてから納品すべきでしょうか？」という質問を受けることがあります。

当然、ネイティブ・チェックには費用がかかるので、翻訳料金が見合わなくなります。そこで、なるべくネイティブに近い英文を完成させるための機械翻訳ツールやネイティブ・チェックのWebサイトも本書で紹介しています。これらを十分に使いこなした上で、さらに納期や予算に余裕がある場合はネイティブ・チェックを受ければよいでしょう。

【高校の英文法を知っていれば対処できる】

著者は和訳よりも英訳を引き受けることが圧倒的に多く、ネイティブに近い英文を書く工夫を重ねてきました。どのようにしたらネイティブから極力修正されない英文を書けるのか試行錯誤を重ねた結果、その答えは意外にも身近なところにありました。

それは、高校で学習した英文法を習得することです。特許翻訳のような超専門的かつ特殊な翻訳を高校の英文法で対処できるとは、信じ難いと思われるかもしれませんが、実はこれで十分であり、むしろ高校の英文法を知らずして、特許翻訳を行うことはできません。

簡単な例を挙げましょう。「彼らは互いに好きである」を英訳する場合、They like … この後をどのように訳せばよいでしょうか？

“each other”(互いに)という言葉を入れ、これに“with”を付してしまう方がいますが、ここでは通常、“with”は付しません。

なぜなら、“each other”は代名詞あり、通常の名詞と同じように使うべきだからです。つまり、like himの“him”と同じような働きをしますが、このときの“him”の前に“with”はありません。

したがって、“They like each other.”と訳すのが正解です。そして、この英文法の知識は特許翻訳でも必要となります。

例えば、「これらのブロックは互いに類似している」を英訳する場合、以下のように訳すことができます。

☞These blocks are similar to each other.

☞These blocks resemble each other.

これらは、以下のように文章を書き換えることで、“each other”の前に前置詞を付すべきか、付す場合はどの前置詞にすべきかを判断できます。

◆AはBに似ている。

☞A is similar to B.

☞A resembles B.

そもそも、“resemble”は他動詞であり、目的語（“A resembles B”という文章中の「B」）が必要なことを知っておくのも重要です。また、以下のようなクレーム特有の分詞構文は、高校の英文法の知識で理解することができます。

☞A method of adjusting a karaoke device, the method including a step of receiving ….

このように、特許翻訳は決して特殊な英文を書くものではなく、学生時代の英文法の知識を活用して行うべきものであり、高校で習う英文法を知らなければ正しい特許英語を書くことはできないのです。

【特許のフローや特許要件を理解した上で訳す】

特許翻訳でもう一つ必要なのは、特許出願から特許発行までの流れや特許要件、外国出願の流れを知り、特許フローのどこで登場する文書を訳しているのかを確認することです。

特許翻訳のほとんどは、本書の日除け発明の英訳のように国際出願を国内移行する際の翻訳を指します。しかし、拒絶理由通知書、意見書、拒絶査定不服審判、無効審判等、多くの書類が翻訳の対象となり、さらに外国代理人との通信文（主に電子メール）の翻訳も依頼されることがあります。

これらが特許フローの中でどこに位置する文書であるかを確認しながら訳すことにより、翻訳対象が作成された経緯、次に予想されるアクションなど、その文書の周辺の事情を理解した上で翻訳することができます。

これらの知識は与えられた文書を訳語に置き換えただけの翻訳よりも品質上、大きなアドバンテージをもたらすことになるのです。

【米国の特許審査基準を知る】

英訳するクレームのタイプ（マーカッシュクレーム、ミーンズ・プラス・ファンクション・クレーム等）に関する米国特許審査基準（MPEP）の規定を知ることにより、翻訳のスタイルを決定することができます。

初出、２回目以降の単語に付される冠詞を決定する際にも、MPEPの規定を知っておくことは必要です。本書はこれら米国特許法やMPEPの規定も抜粋しつつ、著者の訳を付して説明しています。

【特許法や特許要件を知ることで仕事の幅も広がる】

中間書類や通信文の翻訳需要は多いのが現状です。特許の知識を持つことにより、明細書に限らず幅広い文書翻訳を引き受けることができます。

拒絶理由通知書やオフィスアクションは特許法の条文が多く登場するため、特許法に精通していないからという理由で翻訳を敬遠する方がいますが、特許法の概要と必要条文を押さえておけば、十分に対処できるので、これは非常にもったいないことだと思います。

著者は明細書、中間書類、電子メールなどの通信文だけでなく、特許制度に関するセミナーの資料も多く翻訳してきました。特許翻訳は奥が深く、需要の多い世界です。また、自宅で完結できる翻訳の仕事は、リモートワークや副業に最適です。本書を傍らに置いて、さまざまな種類の文書翻訳にチャレンジされることを願っています。

2022年３月　弁理士　奥田 百子

※本明細書の全文の英訳とノウハウを執筆していましたが、ページ数が膨大になってしまいました。本書の発行に当たって、内容の一部については割愛せざるを得なかったので、この点、あらかじめご了承ください。

【本書のトリセツ】

【本書全体の構成】

本書は「日除け」という発明の特許出願（特開2019-218815／出願人：株式会社フラクタル・ジャパン）のほぼ全文を英訳しており、出願公開公報の流れに即した構成にしているため、発明のストーリーを追いながら読み進めていくことができます。

【公報をお手元に（お願い）】

本書を読む際、J-PlatPat（https://www.j-platpat.inpit.go.jp）で本発明の出願公開公報（特開2019-218815）をダウンロードされることをお勧めします。なぜなら、特許翻訳は図面を見ながら訳す必要があるからです。

例えば、以下の文章だけでその構造を理解することはできないでしょう。

「16図（ｂ）に示すように、７月中旬になると影の面積が減少し、その分、木洩れ日領域γの面積が拡大していることが見て取れる」

図面を見ないでこの文章を訳したとしても、それは単に言葉を置き換えたにすぎません。それならば機械翻訳で十分です。図面を実際に見て想像しながら翻訳することが重要であり、それは機械にはできない作業です。必須となる図面は本書にも掲載していますが、公開公報を手元に置いて見比べていただければ、さらに理解が深まると思います。

【全体像の把握】

翻訳する上では発明の全体像を理解することも重要です。そして現在、英訳している部分は明細書のどこに位置しているのかを確認するために、明細書をマップ（地図）として使います。ベテラン翻訳者は明細書の全体を通して読んでから翻訳を始めます。明細書全体を読まずに、いきなり冒頭から訳し始めるのは、発明の趣旨や思想を知らずに訳すことを意味します。

本書では、全体における位置を把握していただくため、各段落の横に実際の明細書に付されている段落番号を記載しています。

② 背景技術の【０００３】を英訳する

ここで「フラクタル構造」とは、複数のクラスターを有する構造であって…

【日除け発明のストーリーを３つの章に分割】

第１章（技術分野、背景技術、発明の概要）
　この「日除け」が、いかなる技術分野に属するかを最初に述べ（技術分野）、背後にあった技術の問題点を述べ、それを解決するための本発明の概要（背景技術、発明の概要）を述べています。

第２章（実施形態、図面の簡単な説明）
　日除けの組み立てや使用方法について、図面を用いて説明しています。

第３章（特許請求の範囲）
　特許を受けようとする発明を記載しています。請求項１～４という４つの請求項から成り立っています。

　複数の明細書を断片的に訳すのでは、発明の背景にある技術思想を理解しないまま、字面のみを訳語に置き換えるだけの作業となってしまいます。複数の明細書は技術分野も多岐にわたるため、一見、さまざまな技術分野を体験できるような印象を受けるかもしれませんが、各技術分野と発明を深く理解しないうちに、次の明細書を訳すことになります。
　本書では「季節や時間帯のズレにより日除け性能が低下する」という従来技術の課題をどのように解決したのか、発明のストーリーに沿って訳していきます。
　複雑な装置や機械を使わずに湾曲部材を組み合わせた「日除け」の発明は、誰でも理解できる技術であり、技術内容を理解することに時間を割く必要がなく、翻訳に集中することができます。しかも、明細書の表現は非常に多彩なので、「翻訳を通して技術を学び、技術を通して翻訳を学ぶ」という、特許翻訳の教材として好適です。

【１段落ごとに和文を見ながら英訳するドリル】

本書では明細書を１段落ごとに区切り（１段落をさらに区切っている箇所もある）、英訳に必要なキーワードとキーフレーズを示します。読者各自で英訳していただくというドリル形式にしています。例えば、ある段落では「熱」を意味する“heat”は不加算名詞であることを示しているため、“s”を付さずに使用すべきことが分かります。

段落ごとに区切り、和文と英文を上下に対比させて表示

⑤ 背景技術【００１５（前段）】

この日除け部材１を用いて日除けを形成するに際しては、４つの日除け部材１を連結させた日除けブロックを多数用意した上で、あらかじめ各日除けブロックを矩形状のフレーム部材に組み付けることにより、日除けユニットが形成される。

When the sunshade is formed using the sunshade members 1, a sunshade unit is formed by preparing many of the sunshade blocks, each of which is formed by connecting four of the sunshade members 1 and then mounting the sunshade blocks in a frame member of the rectangular shape in advance.

キーワード	英訳	備考
に際しては	when, in, in case of	
連結する	connect, couple	p. 203 2.（6）参照
用意する	prepare	
あらかじめ	in advance, preliminarily	
矩形状の	rectangular	
各日除けブロック	respective sunshade blocks	each sunshade block
フレーム部材	frame member	
組み付ける	mount, install, set, incorporate	

connectとcoupleの使い分けは、第５章で解説

英訳する上でポイントとなるキーワードをリストアップ

【特許翻訳に必要な英語ルール（第５章）を参照しながら翻訳】

前ページの「連結する」を英訳する場合、“connect”と“couple”のどちらが正解なのかで迷う方も多いのではないかと思います。そのような場合に備え、第５章では、この２つの単語の使い分けを示しています。第５章を参照していただくことにより、この場面における「連結する」を正しく英訳することができます。このような「迷い」が生じそうな用語については、キーワード一覧の備考欄に第５章の参照ページなどを記載しています。

【英訳ノウハウの各記号について】

第１章〜第３章において、それぞれ「英訳ノウハウ」を詳述していきますが、以下のように記号を付して内容を整理しています。

◆：明細書に記載されている和文（キーフレーズ）

➢：キーフレーズの言い換え（リフレーズ）

☞：英文の訳例

◇：著者のコメントや解説

【特許翻訳に必要な知識のまとめ（第４章）で基礎知識を習得】

英訳するには米国特許法やMPEPの知識が必要です。例えば、「前記」を意味する“said”や“the”をどのような場面で使うべきかについて、MPEPの規定（said lever, the leverには先行して“a lever”という記載をする必要がある〈MPEP2173.05〉）を挙げているので、これらを参照しながら訳しましょう。これらの特許翻訳ルールを第４章にまとめています。

【第４章と第５章は独立した解説書・辞書としても活用できる】

第４章では、特許要件、特許出願から特許発行までのプロセス、外国出願のフロー、クレーム（請求の範囲）の種類、MPEPからの抜粋をまとめています。この第４章のみを取り出して、簡単な特許解説書として活用できます。

第５章は、「頻出の表現・フレーズ、冠詞、可算・不可算名詞、自動詞・他動詞、関係代名詞・関係副詞、分詞構文」など、英訳に必要となる英文法を記載しているため、別の案件を訳す際にも、英語の辞書として活用できます。

【目次】

第1章
技術分野・背景技術を英訳する

Translate Technical Field / Background Art into English

太陽光が強い季節や時間帯がずれても日除け性能が低下しない「日除け」の特許出願(特開2019-218815／出願人：株式会社フラクタル・ジャパン)の明細書、特許請求の範囲、要約を英訳していきます。

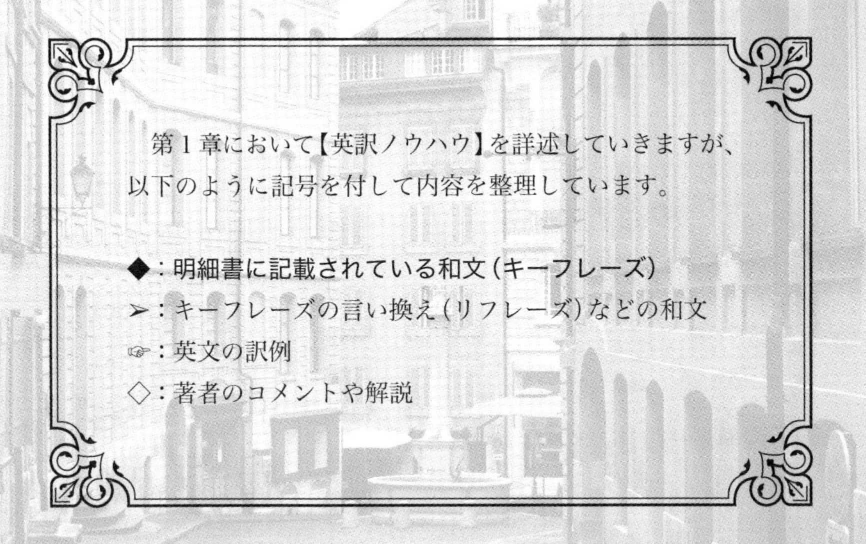

第1章において【英訳ノウハウ】を詳述していきますが、以下のように記号を付して内容を整理しています。

◆：明細書に記載されている和文(キーフレーズ)
➢：キーフレーズの言い換え(リフレーズ)などの和文
☞：英文の訳例
◇：著者のコメントや解説

お手元の公開特許公報は「要約」→「請求の範囲」→「明細書」の順に掲載されています。本来であれば、本書もこの順で英訳すべきですが、発明の全体像を把握しなければ、そのエッセンスである「請求の範囲」を理解して訳すことはできません。さらに「要約」は「請求の範囲」と記載内容が重なることが多いです。そこで本書では、「明細書」→「請求の範囲」→「要約」の順で訳していきます。著者も実際の翻訳業務では、この順番で訳しています。

1．技術分野の記載
Description of Technical Field

明細書の作成は「発明の属する技術分野」から始まります。まず、発明が属するおおまかな技術分野を述べ、次に、「特に」「(より) 詳細には」の言葉とともに、詳細な技術分野を述べていきます。

(１) 技術分野の記載例

「この発明は照明制御システムに係り (ｉ)、特に、カラオケ機器等から流れる音楽に合わせて、室内の照明効果を柔軟に調整する技術 (ⅱ) に関する」(特許第6751605号の技術分野)

(ｉ) は発明の名称をそのまま記載し、(ⅱ) は従来技術の欠点から導いたこの発明の特徴を記載しています。従来技術の「楽曲に合わせて各種照明を自在にコントロールすることが素人には困難」という欠点を解消したのが本発明の特徴であり、「カラオケ機器等から流れる音楽に合わせて、室内の照明効果を柔軟に調整する技術に関する」ことを明細書冒頭に記載しています。

(２) 技術分野の表現と英訳

「この発明は (全体として) ～に係り、特に～に関する」「本発明は (全体として) ～に係り、(より) 詳細には～に関する」

The present invention (generally) relates to …, and (more) particularly, (in particular, and [more] especially) to …

The present invention (generally) relates to …. In particular, the present invention relates to ….

技術分野の表現方法はさまざまであり、上記のいずれを採用してもよいです。翻訳会社や顧客から提示されている表現があれば、それを使うべきでしょう。

(3) 日除け発明の技術分野【０００１】の英訳

それでは、特開2019-218815の「技術分野」から英訳していきましょう。

この発明は日除けに係り、特に、複数の遮光面と隙間が三次元的に配置された構造の日除け部材を複数組み合わせた日除けに関する。

The present invention relates to a sunshade, and more particularly, to a sunshade configured by combining a plurality of sunshade members, which are configured such that a plurality of light shielding surfaces and gaps are three-dimensionally arranged.

特開2019-218815【図１】

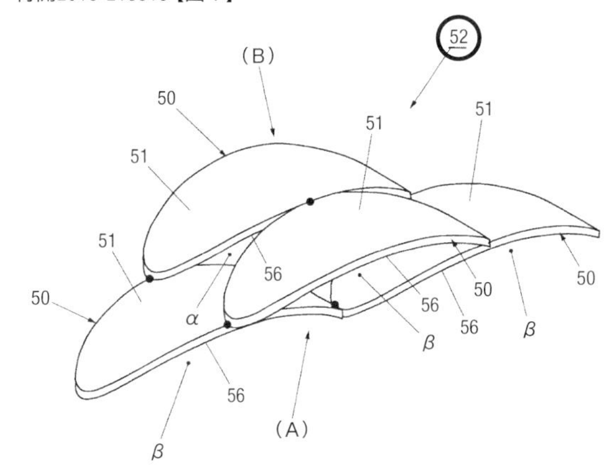

※図１の日除け部材を組み合わせることで、図７の日除けブロックが構成されています。

特開2019-218815【図７】

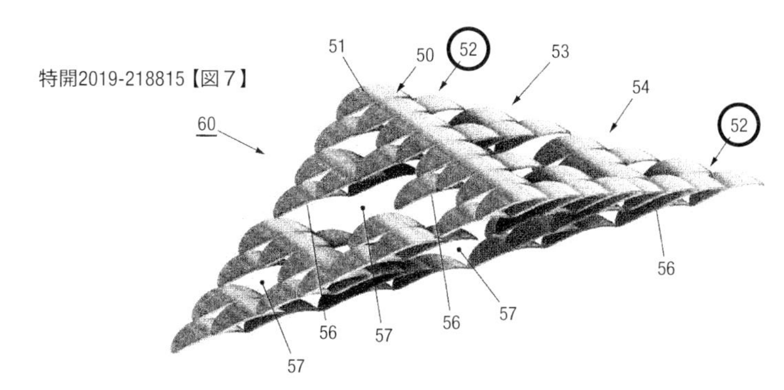

キーワード	英訳	備考
この発明(本発明)	this invention, the present invention	p. 172 4. (3) 参照
～に係る	relate to …	p. 173 4. (4) 参照
日除け	sunshade	可算名詞
特に	(more) especially, in particular, (more) particularly	
複数の	a plurality of, multiple, several	p. 172 4. (2) 参照
遮光面	light shielding surface	surfaceは可算名詞
隙間	gap, void	いずれも可算名詞
三次元的に	three-dimensionally	p. 182 1. (1) 参照
配置する	arrange, dispose, place	
日除け部材	sunshade member	memberは可算名詞
組み合わせる	combine	

【英訳における「３つのＣ」】

◇実際に特許翻訳を行う場合、重要なポイントとなるのは以下の３点です。

ａ）原文の意味を正確に伝えること

ｂ）記載内容が明確であること

ｃ）簡潔性を重視すること

◇「正確（correct）」「明確（clear）」「簡潔（concise）」をまとめて「３つのＣ」といいます。特許翻訳では簡潔な表現を重視するあまり、正確さを欠いてしまうことは避けるべきです。常に「正確」と「明確」を優先するように心掛けましょう。

【英訳ノウハウ１】

◆複数の日除け部材を組み合わせて構成される日除け

◇和文をシンプルな表現に置き換えたり、語順を入れ替えたり、分解したりすると、英訳しやすくなります。

➢日除けが構成される／日除けが複数の日除け部材の組み合わせにより構成されている。

☞A sunshade configured by combining a plurality of sunshade members.

【英訳ノウハウ２】

◆日除け部材を複数組み合わせた日除け

◇和文で主語が異なるように見えても、主語を同一にして簡潔に表現することができます。

➢日除け部材が複数組み合わされているように構成されている日除け

注）このように言い換えた場合、構成されている動作の主語と、どのように構成されているかという動作の主語が異なるため、これをそのまま英訳すると、以下のような長い文章になってしまう。

☞A sunshade configured such that a plurality of sunshade members are combined

【英訳ノウハウ３】

◆複数の遮光面と隙間が三次元的に配置された構造の日除け部材

◇上記のフレーズも、なるべく簡潔に表現することを試みます。

➢複数の遮光面と隙間が三次元的に配置されるように構成された日除け部材

注）「構成される」の主語と「配置される」の主語が異なるため、“such that” を使うことができる。

☞Sunshade members, which are configured such that a plurality of light shielding surfaces and a plurality of gaps are arranged three-dimensionally.

注）複数の日除け部材が遮光面と隙間が三次元的に配置されて形成されており、“which”（主格の関係代名詞）を使う〈p. 217 5.(1) 参照〉。

【英訳ノウハウ４】

◆日除け部材を複数組み合わせた

◇上記の和文は「複数」を強調したいがための表現だと思いますが、英訳するには以下の内容で十分です〈p. 172 4.(2) 参照〉。

➢複数の日除け部材を組み合わせる

☞combining a plurality of sunshade members

2．背景技術の記載
Description of Background Art

(1)背景技術の例

背景技術に問題点があるからこそ、新たな発明がされます。この背景技術を明細書に記載します。背景技術では「本発明の属する技術分野において、従来はこのような不都合があった」という問題を指摘します。例えば、「自転車等のハンドルにバックミラーを取り付けると、ハンドル操作に応じてバックミラーが揺れるため、安定して後方確認できないという問題が以前から指摘されていた」などと記載します。その前提として、この技術分野にはいかなる先行技術があるかを列挙します。背景技術の記載は、特許法にも規定されています。

(2)背景技術を記載する根拠

①特許法の根拠

特許法には以下のように規定されています。「その発明に関連する文献公知発明…のうち、特許を受けようとする者が特許出願の時に知っているものがあるときは、その文献公知発明が記載された刊行物の名称その他のその文献公知発明に関する情報の所在を記載したものであること」(36条４項２号)。

出願人は先行技術となる文献の名称などを記載する必要があります。もちろん、先行技術文献を知っている場合に限られますが、明細書作成者はインターネットやJ-PlatPatで検索して先行技術文献やWebサイトを記載します。この規定に違反すると、審査官より拒絶理由の事前通知がされます。

②拒絶理由の事前通知

「審査官は、特許出願が第36条第４項第２号に規定する要件を満たしていないと認めるときは、特許出願人に対し、その旨を通知し、相当の期間を指定して、意見書を提出する機会を与えることができる」(48条の７)。

この通知を受けた出願人は、先行技術文献の補充や、文献公知発明を知らないことを主張します。合理的な説明もなく文献が開示されなかったり、開示はされたが適切な文献でなかったりした場合は、拒絶理由がされます。

(3)背景技術を記載する順序

a)この分野では～という日除けが提案されている

b)この先行技術には～といった利点がある

c)しかし、～という欠点もある

先行技術の問題点を述べた上で、次の項目の「発明の開示」につなげます。発明の開示には発明の構成要件を記載しますが、そのつなぎとして、「本発明は従来技術の欠点に鑑み考案されたものである」と記載します。

(4)日除け発明の背景技術の英訳

① 背景技術【0002】

都市部において深刻化しつつあるヒートアイランド現象を解消し、また消費電力の低減にも資するものとして、いわゆるフラクタル構造を備えた日除け部材を多数組み合わせることによって形成される日除けが、既に提案されている。

【特許文献1】特許第5066215号

【特許文献2】特許第5315514号

【特許文献3】特許第5763977号

【非特許文献1】Sierpinski's forest: New technology of cool roof with fractal shapes インターネットURL:…

A sunshade formed by combining many sunshade members with a fractal structure has been already proposed as a means for overcoming the heat island phenomenon that is becoming more serious in big cities and contributing to reduction of power consumption.

Patent Literature 1: Japanese Patent No. 5066215

Patent Literature 2: Japanese Patent No. 5315514

Patent Literature 3: Japanese Patent No. 5763977

Non-Patent Literature 1: Sierpinski's forest: New technology of cool roof with fractal shapes Internet URL:…

キーワード	英訳	備考
都市部	urban area, big city	area, city 可算名詞
深刻化する	become serious	
(ますます)深刻化しつつある	is (are)(increasingly) becoming serious	
深刻化した	has become serious	
ヒートアイランド現象	heat-island phenomenon	phenomenonは可算名詞であり、複数形はphenomena
解消する	remove, eliminate, release	「克服する」という意味なので、overcomeでもよい
消費電力	power consumption	consumptionは不可算名詞
低減	reduction, decrease	いずれも原則として不可算名詞、具体的には可算名詞(Weblio辞書)
～に資する	contribute to ….	
いわゆる	what we call	訳さないこともある
フラクタル構造	fractal structure	structureは「構造」という意味では不可算名詞、「建造物」という意味では可算名詞。ここでは後者として扱う
多数	many, a lot of, a large number of, many, multiple	many, a large number of, a great number ofは可算名詞のみ a lot ofは可算・不可算名詞のいずれでも付すことができる
組み合わせる	combine	
形成する	form	
提案する	suggest, propose	
～は既に提案されている	has been already suggested	
特許文献	Patent Literature	
非特許文献	Non-Patent Literature	

【英訳ノウハウ１】

◆都市部において深刻化しつつあるヒートアイランド現象

◇「〜しつつある」を現在完了形と現在進行形のどちらで表現するかは非常に悩ましい問題です。「DeepL®翻訳」で確認したところ、“is becoming more serious”や“is getting serious”となっていたので、ここでは現在進行形を採択しました。

☞The heat island phenomenon that is becoming more serious in big cities

【英訳ノウハウ２−１】

◆ヒートアイランド現象を解消し、また消費電力の低減にも資するものとして、いわゆるフラクタル構造を備えた日除け部材を多数組み合わせることによって形成される日除け

◇「…資するもの」の「もの」は「日除け」を指しています。「もの」が代名詞として使われているので、“one”と英訳しますが、「ものとして」を、あえて“as one”と訳す必要があるでしょうか？　そうすると、“one”が何を指すのか、読み手が推論しなければならなくなってしまいます。その解決手段として、以下のとおり３つのノウハウを紹介します。

【英訳ノウハウ２−２　〜「もの」を無視する〜】

◇すなわち、「…を解消し、〜に資する日除け」のようにつなげてしまうということです。以下のように和文をリフレーズします。

➢ヒートアイランド現象を解消し、かつ、消費電力の低減にも資する、いわゆるフラクタル構造を備えた日除け部材を多数組み合わせることによって形成される日除け

◇しかし、これでは「資する」が「日除け部材」にかかると誤解されてしまう可能性があります。そこで、以下のように語順を入れ替えてみます。

➢いわゆるフラクタル構造を備えた日除け部材を多数組み合わせることによって形成され、ヒートアイランド現象を解消し、かつ、消費電力の低減にも資する日除け

◇これで、「〜形成され、〜を解消し、〜にも資する」が日除けにかかることが明確になりました。それでは、確認のためにこの文章を分解します。以下のように整理すると英訳しやすくなります。

a）いわゆるフラクタル構造を備えた日除け部材を多数組み合わせることによって形成され
b）ヒートアイランド現象を解消し
c）消費電力の低減にも資する
} 日除け

☞A sunshade which is formed by combining … overcomes …, and contributes to …

注）上記のように“a sunshade”を先行詞として関係代名詞“which”を使うことで、すべての動作が「日除け」にかかるように訳すことができる。

【英訳ノウハウ2－3　〜「もの」を「手段（means）」に置き換える〜】

◇すなわち、「〜を解消し、〜に資する手段」のように構成することで「解消し、資する」手段が日除けであることが明確になります。この方法であれば、文章を入れ替えたり、関係代名詞を使ったりする必要もなくなり、簡潔な英訳が実現します。

【英訳ノウハウ2－4　〜「もの」以前のフレーズを目的とする〜】

◇すなわち、以下のように、「〜を解消し、〜に資する」を「目的にする（aims to）」と言い換えて英訳することもできます。

➢ヒートアイランド現象を解消し、また消費電力の低減に資することを目的として、フラクタル構造を備えた日除け部材を多数組み合わせることによって形成される日除け

☞A sunshade formed by combining many sunshade members with a fractal structure, which aims to overcome the heat-island phenomenon and contribute to reduction of power consumption

② 背景技術【０００３（前段）】

ここで「フラクタル構造」とは、複数のクラスターを有する構造であって、クラスターが階層構造をなし、各階層に属するクラスターの形状が互いに相似するものをいう。このような図形の一つとして、シェルピンスキー四面体が知られている。

A “fractal structure” herein means a structure having a plurality of clusters in which clusters form a hierarchical structure and shapes of the clusters belonging to each hierarchy are similar to each other. A Sierpinski Tetrahedron is known as one of such drawings.

キーワード	英訳	備考
クラスター	cluster	「房、群れ」を意味する（可算名詞）
階層構造	hierarchical structure	
階層	hierarchy	「階層」という意味のときは可算名詞
各	each, respective	
～に属する	belong to …	
～構造をなす	configure (constitute, form) … structure	～構造を構成する
互いに	each other	
形状	shape	「形状」という意味のときは可算名詞
相似の	analogous, similar, resemble	
～に相似する	analogous to (with) …, similar to …, resemble …	
シェルピンスキー四面体	Sierpinski Tetrahedron	
～とは～をいう	… refers to … means …	refer toは「～を指す」
～の一つ	one of	
～として知られている	known as …	

注）“each”は「１つひとつの」という形容詞として名詞に付されたり、代名詞として「(複数あるものの) １つひとつ」の意味を有したり、「それぞれに」を意味する副詞でもある。“respective”は複数形の名詞に付して「１つひとつの」という意味を表す形容詞〈p. 183 1. (4) 参照〉。ここでは複数の階層１つひとつを意味するため“each of hierarchies”と訳す。

【英訳ノウハウ１】

◆互いに相似する：resemble each other, similar to each other, analogous to (with) each other

◇通常の名詞の場合、どのような前置詞を置くべきかで“each other”の前置詞を判断します。例えば以下のようにａ、ｃ、ｅ、ｇの英文から展開して前置詞の有無や適切な前置詞を探っていきます〈p. 184 1. (5) 参照〉。

ａ）ＡはＢに似ている：A resemble B
ｂ）ＡとＢは似ている：A and B resemble each other
ｃ）ＡはＢに似ている：A is similar to B
ｄ）ＡとＢは似ている：A and B are similar to each other
ｅ）ＡはＢと仲が良い（ＡはＢに近い）：A is close to B
ｆ）ＡとＢは仲が良い（ＡとＢは近い）：A and B are close to each other
ｇ）ＡはＢに接続されている：A is connected to B
ｈ）ＡとＢは接続されている：A and B are connected to each other

【英訳ノウハウ２】

◆クラスターを有する構造であって、クラスターが階層構造をなし、各階層に属するクラスターの形状が互いに相似するもの

◇「構造であって」を“structure in which …”とすれば、その構造の中では「クラスターが階層構造をなす」という説明を加えることができます。

➢クラスターを有する構造であって、その構造のなかでは、クラスターが階層構造をなし、各階層に属するクラスターの形状が互いに相似している

注）“in which”（前置詞＋関係代名詞）は、“where”（関係副詞）に置き換えることも可能〈p. 217 5. (1) 参照〉。

③ 背景技術【０００３(後段)】

このようなフラクタル構造を体現した日除け部材は、それ自体が極めて複雑な形状を備えているため、以下に詳説する。

The sunshade member that embodies such a fractal structure has an extremely complicated shape by itself, and will be described in detail below.

キーワード	英訳	備考
このような	such a …, like this, this	
～を体現した	embody	「具体化する」の意味
それ自体	by itself, in itself, per se	per seはラテン語
極めて複雑な形状	extremely complicated (complex)	副詞＋形容詞
以下に詳説する	will be described in detail below	

【英訳ノウハウ】

◆フラクタル構造を体現した日除け部材

➢日除け部材はフラクタル構造を体現している。

☞The sunshade member embodies a fractal structure.

◇「日除け部材」を先行詞とする関係代名詞を使って書き直します。

☞The sunshade member that embodies a fractal structure.

◆日除け部材は、極めて複雑な形状を備えているため、以下に詳説する。

☞The sunshade member has an extremely complicated shape, and will be described in detail below.

注）上記は「日除け部材」を詳説する場合。「日除け部材が複雑な形状を備えている」を詳説するには、“has an extremely complicated shape, which will be described in detail below”のように前の文章を先行詞とする関係代名詞を使う〈p. 220 5. (1) 参照〉。また、上記下線部(ため)を英訳に入れるために、“will be therefore described”とすることもできる。

④ 背景技術【０００４】～【００１４】の概要

実際の明細書では従来の日除けの構造について、【０００４】～【００１４】及び図19～21で詳細に説明していますが、内容が細かすぎるため、逆に分かりにくくなるのではないかと考えました。また、これらの英訳とノウハウをすべて盛り込んだ場合、本書のページ数が膨大になってしまうため、ここでは英訳を省略し、以下のとおり背景技術の構造を簡潔に解説します。

従来の日除けにおいて、「日除け部材１」を、上下左右に４つ組み合わせることによって、「日除けブロック」が構成されています。

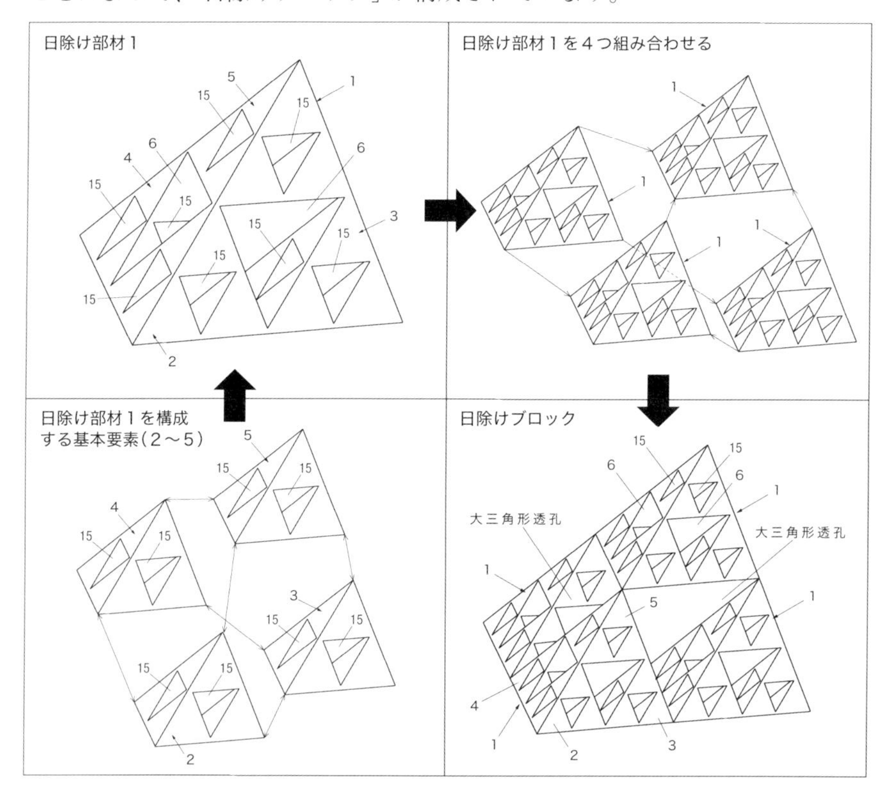

なお、「日除け部材１」は上下左右に配置された４つの基本要素（２～５）の組み合わせです。

各基本要素２～５は、四角形の板を対角線に沿って左右に折り曲げた立体形状になっています。さらに、「＞」「＜」形状の切り込みを折り線に沿って内側に折り曲げることで２つの三角形状の透孔（小三角形透孔15）が形成されます。

各基本要素（２～５）の正面はほぼ遮光面を形成していますが、斜めから観察した場合、上記の三角形状の透孔が２つ確認できます。これによって通気性が確保されます。

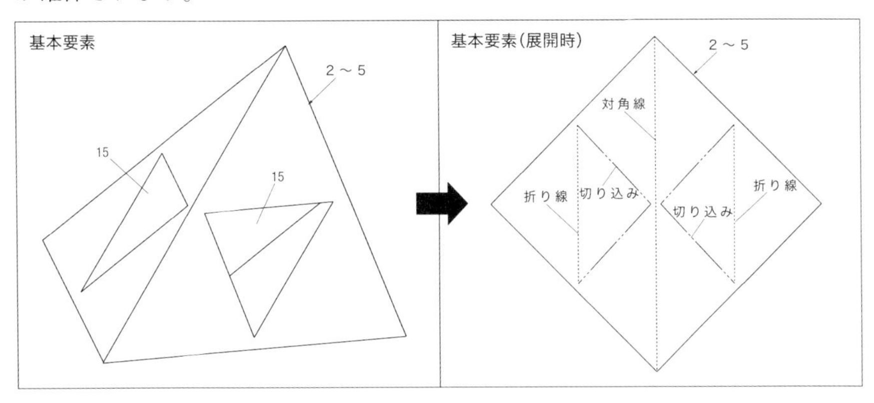

このような基本要素（２～５）の組み合わせからなる日除け部材１も、正面から観察した際にはほとんどの領域が遮光面を形成していますが、斜めから観察すると、左右の基本要素間によって、大きな三角形状の透孔（中三角形透孔６）が２つ確認できます。

さらに、４つの日除け部材１の組み合わせからなる日除けブロックも、正面から観察した際には、ほぼ全体が遮光面となりますが、斜めから観察した場合には左右の日除け部材間にさらに大きな三角形状の透孔（大三角形透孔）が２つ確認できます。

この日除けブロックは、４個の基本要素を含む４つの日除け部材１によって構成されているので、「４×４＝16個」の基本要素を階層状に配置した構造になっているのです。

それでは、次ページから背景技術の英訳を再開します。

⑤ 背景技術【００１５(前段)】

この日除け部材１を用いて日除けを形成するに際しては、４つの日除け部材１を連結させた日除けブロックを多数用意した上で、あらかじめ各日除けブロックを矩形状のフレーム部材に組み付けることにより、日除けユニットが形成される。

When the sunshade is formed using the sunshade members 1, a sunshade unit is formed by preparing many of the sunshade blocks, each of which is formed by connecting four of the sunshade members 1 and then mounting the sunshade blocks in a frame member of the rectangular shape in advance.

キーワード	英訳	備考
に際しては	when, in, in case of	
連結する	connect, couple	p. 203 2. (6) 参照
用意する	prepare	
あらかじめ	in advance, preliminarily	
矩形状の	rectangular	
各日除けブロック	respective sunshade blocks	each sunshade block
フレーム部材	frame member	
組み付ける	mount, install, set, incorporate	

注)「～の場合」を表現する場合、“if, when”がある〈p. 201 2. (2) 参照〉。

◇この場面では、「日除けを形成する」のは確実であり、「そのときは」という意味で使っているので“when”となります。

“in … ing”は、「～の最中に、～の間に、～する際に」という意味を表します。「形成するに際して」の訳語として、“in forming …”を用いてもよいです。和文では「～に際しては」となっていますが、「形成するとき」のニュアンスを表すため、ここでは“when”を使うこととします。

注）「各日除けブロックをフレームに組み付ける」が「『複数の日除けブロック』を１つひとつフレームに組み付ける」という意味合いを出している。「各」はなくてもよいのでここでは訳さない。あえて訳す場合は、複数の名詞に付すことができる“respective”を使う。これは「複数のもの全体を指してその１つひとつ」という意味である〈p. 183　1.（4）参照〉。

注）「組み付ける」は活版印刷で使われる言葉であるが、ここではフレーム部材にブロックを「はめ込む」という意味であるため、mount（埋め込む、組み込む）、install、incorporate（組み込む）、set（配置する）などを使う。

注）“four of …”としたのは、「～のうち４つ」という意味を表現する場合だけでなく、“the”を“sunshade members”に付して、“four of the sunshade members”とするためである。“the four sunshade members”もあり得る。

【英訳ノウハウ１】

◆日除け部材１を連結させた日除けブロック

◇これは、以下の下線部のように言葉を補って訳す必要があります。

➢おのおのが日除け部材１を連結させることにより形成される日除けブロック

☞Sunshade blocks, each of which is formed by connecting sunshade members 1

注）複数の日除けブロックのおのおのが日除け部材の連結により形成されており、each of which（関係代名詞の非限定用法）と訳す〈p. 220　5.（2）参照〉。

【英訳ノウハウ２－１】

◆日除けブロックを用意した上で、各ブロックをフレームに組み付けることにより、日除けユニットが形成される。

☞The sunshade blocks are prepared, and then mounted in a frame, in order to form a sunshade unit.

注）「～が形成される」という結果を表すto不定詞や、コンマ（,）＋ in order to, so as toなどを使う。

【英訳ノウハウ２―２】

◆日除けブロックを用意した上で、各ブロックをフレームに組み付けることにより、日除けユニットが形成される。

☞A sunshade unit is formed by preparing the sunshade blocks, and then mounting them in a frame.

◇「～が形成される」という結果を最初に記載し、どのように形成されたかについて、“by”を介して記載することもできます。

なお、「用意した上で」は、「用意した後」と言い換えることができるので、“after preparing …, mounting …”と表現することも可能ですが、“preparing …, then mounting …”のように“then”を使うことによって、「その後」という意味を表すことができます。

特開2019-218815【図10】

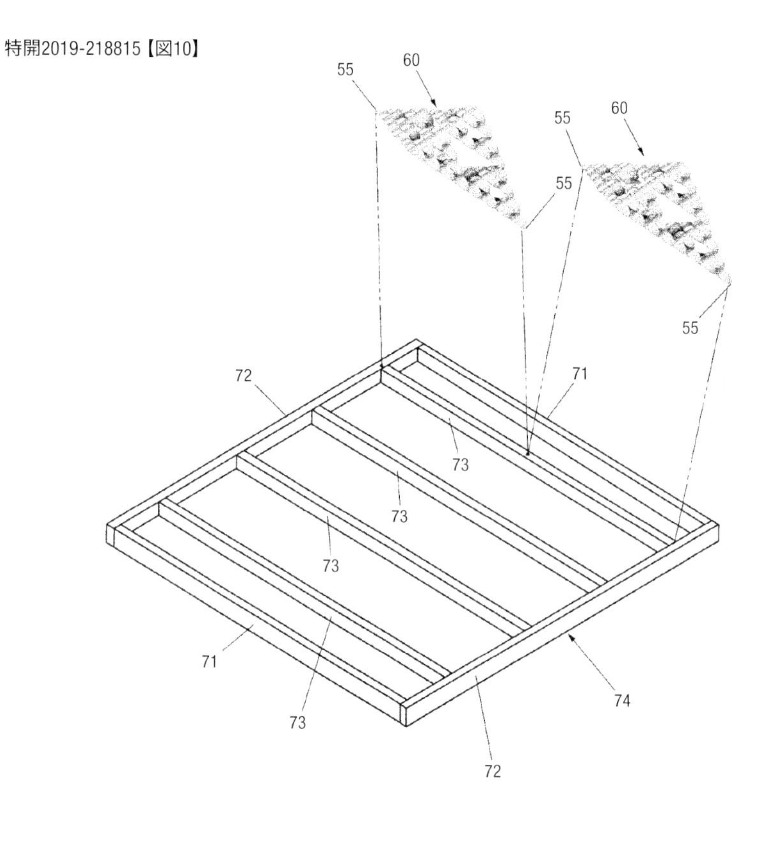

⑥ 背景技術【００１５（後段）】

また、複数の脚部によって支持された基礎フレーム上に複数の日除けユニットを載置固定することにより、日除けが形成される。

The sunshade is formed by placing and fixing a plurality of the sunshade units on a basic frame that is supported by a plurality of legs.

キーワード	英訳	備考
脚部	leg, foot	「脚部」も「脚」と英訳して構わない
支持する	support	
基礎フレーム	basic frame	frameが「枠」を意味するときは可算名詞
載置固定する	place and fix	p.186 1.(7) 参照

【英訳ノウハウ】

◇「複数の日除けユニット」は、「日除けユニット」が初出（「背景技術」であらためて判断）ではないため、"the sunshade units"としますが、「複数の日除けユニット」としては初出であるため、"a plurality of the sunshade units"と表記します。２回目以降に登場する「複数の日除けユニット」は"the plurality of (the) sunshade units"と表記します。

特開2019-218815【図14】

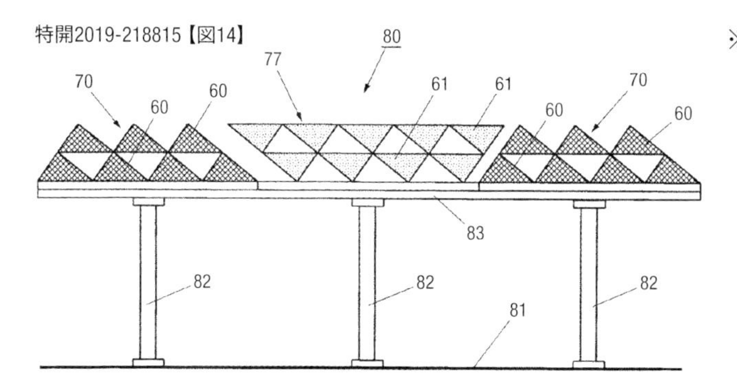

※図14のように脚部82に支持される基礎フレーム83上に日除けユニット（正置ユニット70と倒置ユニット77）を載置して固定しています。

⑦背景技術【００１６(前段)】

上記日除けブロックに含まれる各日除け部材１の稜線Ｒを南側に向けることにより、太陽光線が日除け部材１によって遮断されるため、日除け効果を発揮することが可能となる。

Orientating a ridge R of each of the sunshade members 1 contained in the sunshade block towards the south causes sunlight to be blocked by the sunshade members 1, which produces a sunshade effect.

キーワード	英訳	備考
日除けブロック	sunshade block	blockは可算名詞
含む	include, contain	p. 201 2. (3) 参照
日除け部材	sunshade member	memberは可算名詞
稜線	ridge	可算名詞
南側	south side	可算名詞／南側は必ず存在するため、初出でもtheを付す
向ける	turn, orient(ate), direct	方向づける、配向する
太陽光線	sunray, sunlight	sunrayは可算名詞、sunlightは不可算名詞
日除け効果	sunshade effect	
効果を発揮する	produce effect	produce(生成する)

注)「日除けブロックに含まれる各日除け部材」の「含まれる」は“contain”を使うのが適切である。“contain”は全体として含まれていること、“include”は一部として含んでいることを表す〈p. 201 2. (3) 参照〉。

注)「部材を南側に向ける」は“orientate a member towards the south”と表現できる。“orientate”と“direct”は「向ける」(他動詞)の意味があり、“orientating the member towards the south”(部材を南側に向ける)のように表現できる。

【英訳ノウハウ1】

◆各日除け部材1の稜線Rを南側に向けることにより、太陽光線が日除け部材1によって遮断されるため、日除け効果を発揮することが可能となる。

◇この和文は、ある動作を行うことによって1つの効果が発揮され、さらにこの効果によって別の効果が発揮されることを表しています。

主語：稜線を南側に向ける

述語：太陽光線を日除け部材により遮断

結果：日除け効果を発揮

【英訳ノウハウ2】

◆稜線Rを南側に向けることにより、太陽光線が日除け部材によって遮断される。

☞Orienting a ridge R towards the south enables sunlight to be blocked by a sunshade member.

☞Orienting a ridge R towards the south allows sunlight to be blocked by a sunshade member.

☞Orienting a ridge R towards the south causes sunlight to be blocked by a sunshade member.

◇上記のように「太陽光線が遮断できる」「太陽光線が必然的に遮断される」など、目的語が「～することを可能にする」という表現は数多く存在しますが〈p. 193 1. (17) 参照〉、ニュアンスの違いで動詞を選んでください。

ここでは、稜線Rを南側に置くことで太陽光線が必然的に遮断されるので“cause”を使いますが、「遮断できる」と捉えれば、“enable”でもよいでしょう。「遮断できる（enable）」は、日除けの利用者から見て、太陽光線が遮断できるという利点がもたらされることを述べるニュアンスになります。

これに対して、「太陽光線が遮断される（cause）」は、客観的に遮断できる事実を述べています。ユーザーに主眼を置くか、客観的事実を述べるかによって、使われる動詞が異なります。

それでは、残りの「日除け効果を発揮することが可能となる」を英訳して英文を完成させましょう。

【英訳ノウハウ３－１】

◆各日除け部材１の稜線Ｒを南側に向けることにより、太陽光線が日除け部材１によって遮断されるため、日除け効果を発揮することが可能となる。

◇上記の下線部の主語は、「各日除け部材１の稜線Ｒ…によって遮断されるため」という文章全体なので、以下のように英訳することができます。

☞Orienting a ridge R of each of the sunshade members 1 towards the south causes sunlight to be blocked by the sunshade members 1, which produces a sunshade effect.

◇つまり、「各日除け部材１の稜線Ｒを南側に向ける～太陽光線が日除け部材１によって遮断される」ことが「日除け効果を発揮する」ことになるので、「コンマ(,)＋which」を使います。ここは他の訳例があります。例えば、make it possible for A to B(ＡがＢするのを可能にする)。

Ａに“sunshade effect”を置くのであれば、“produce”を他動詞として使っているので“to be produced”のように受動態にせざるを得ません。

また、下線部“which produces”は、以下のように訳すこともできます。

☞which enables a sunshade effect to be produced

☞which makes it possible that a sunshade effect is produced

【英訳ノウハウ３－２】

◇以下のように、「結果の分詞構文」を使うこともできます。これは特許翻訳では、効果を表す表現として頻繁に使うので、覚えておきましょう。

☞Orienting a ridge R of each of the sunshade members 1 towards the south causes sunlight to be blocked by the sunshade members 1, thus enabling to produce a sunshade effect.

◇上記下線部に“allow for”という熟語を使うこともできます。「～を可能にする、～の余地を認める」という意味があり、以下のとおり“for”の後にing形を置くことができるので便利です。

☞thus allowing for producing a sunshade effect

注)“which allows for”(前の文章を先行詞とする関係代名詞)や“thereby allowing for”とすることも可能〈p. 220 5. (1) 参照〉。

⑧ 背景技術【００１６（後段）】

また、各日除け部材１には三角形状の透孔部が多数形成されており、遮光面が三次元空間に分散配置された形となっているため、遮光面間に設けられた隙間を介して熱を素早く空気中に逃がすことが可能となる。

Many triangular through-hole parts are formed on each of the sunshade members 1. Light shielding surfaces are distributed and arranged in three-dimensional space. The sunshade member 1 can allow heat to escape rapidly into the air via gaps provided between the light shielding surfaces.

キーワード	英訳	備考
透孔部	through-hole part	「透孔＋部分」の造語／p. 185 1. (6) 参照
各	each, respective	p. 183 1. (4) 参照
三角形状	triangular-shaped, triangular	triangularで十分
三次元空間	three-dimensional space	
分散配置される	distributed and arranged, arranged in a distributed manner	
隙間	gap, void	
～に設けられた	provided	
～間	between, among	
逃がす	release, loose, allow … to escape	
熱	heat	不可算名詞
素早く	quickly, fast, immediately, rapidly	
空気中	in the air	

注)「各日除け部材１」は複数の日除け部材の１つひとつであることを表現するため、“each of sunshade members 1”と訳す。“each sunshade member 1”とすると、参照符号「１」は、常に“each”が付された形を指す…といった誤解を与えてしまうので注意が必要である。

注）「空間」という意味での“space”は不可算名詞。したがって、「三次元空間」は、“three dimensional space”（初出の場合）、または“the three-dimensional space”（２回目以降）と訳す。

注）“between”は３つ以上の具体的なものの「間」を表すときに使うことができる〈p. 202 2. (4) 参照〉。ここでは「隙間」が遮光面に囲まれていることが下図を見れば分かるため、“among”のほかに“between”も使える。

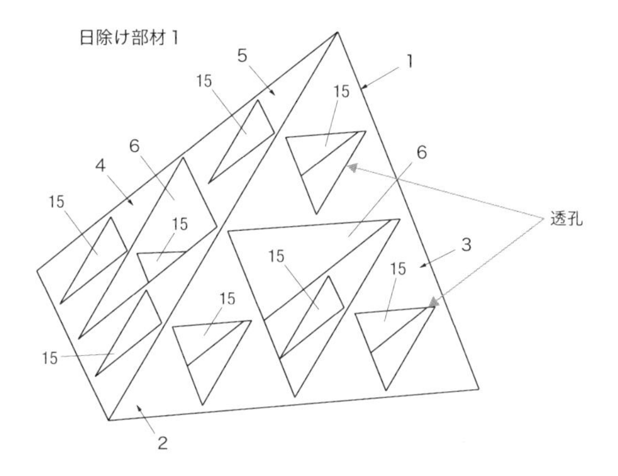

【英訳ノウハウ１】

◆透孔部が多数形成されている。

◇上記は「多数の透孔部が形成されている」よりも、「多数」であることが強調されていますが、下記の英訳で十分です。

☞Many through-hole parts are formed.

【英訳ノウハウ２】

◆遮光面が三次元空間に分散配置された形となっている。

◇「形」なので“shape”を使う方もいると思いますが、「分散配置された形」を「分散配置されたような設計（構造）になっている」と捉え、“configure (design, structure)”という動詞を使って“is configured to”と訳します〈p. 183 1. (3) 参照〉。

◇下線部の「分散配置された形となっている」は「分散配置されている」と置き換えても意味は変わらないので、できるだけシンプルな和文に言い換えてから英訳しましょう。以下に訳例を2つ挙げます。

☞Light shielding surfaces are configured to be distributed and arranged in three-dimensional space.

☞Light shielding surfaces are distributed and arranged in three-dimensional space.

【英訳ノウハウ3】

◆分散配置される

◇和文の内容やニュアンスをどのように捉えるかによって、英訳も変わってきますが、以下のいずれであってもよいと思います。

➢分散されて、配置されている：distributed and arranged

➢分散された態様で配置される：arranged in a distributed manner

【英訳ノウハウ4】

◆（日除け部材1は）遮光面間に設けられた隙間を介して熱を素早く空気中に逃がすことが可能となる。

☞The sunshade member 1 can allow heat to escape rapidly into the air via gaps provided between the light shielding surfaces.

【英訳ノウハウ5】

◆空気中に逃がす

◇“release”は「放つ、解除する」という意味の他動詞であるため、まさに「逃がす」の訳語として使うことができます。“escape”は「逃げる」（自動詞）、「～から逃れる」（他動詞）を意味するため、「逃がす」と表現するには、“allow … to escape”とする必要があります。

ここでは学習のためにあえて“escape”を使ってみます。

➢～を空気中に逃す：permit … to escape into the air

➢～を空気中に開放する：release … into the air

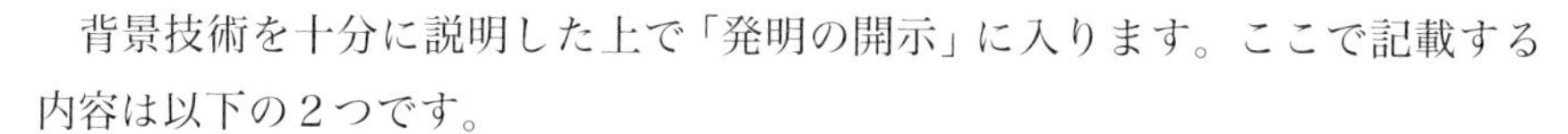

3. 発明の開示の記載
Description of Disclosure of Invention

背景技術を十分に説明した上で「発明の開示」に入ります。ここで記載する内容は以下の２つです。

ａ）発明が解決しようとする課題（従来技術の問題点）

ｂ）課題を解決するための手段（本発明の構成要件）

つまり、発明の開示の項目で「従来技術には〜という問題点があった」「だから、その問題点を解消するために本発明が発案された」「本発明の構成は〜である」という流れで文章を作成していきます。

なお、従来技術の問題点を「背景技術」の項目で記載することもあります。その場合、「発明の開示」では「課題を解決するための手段」のみを記載することになります。

しかし、この「日除け」の明細書では従来技術の利点の説明が非常に長く（数ページにわたっている）、これに対して従来技術の欠点の記載は６行しかないため、欠点は「発明の開示」に入れ込んでいます。

（１）背景技術の問題点（発明が解決しようとする課題）

「名詞＋to be 過去分詞」は、「〜されるべき（名詞）」という意味を表現します。“to be solved”は“problem”にかかり、これはto不定詞の形容詞的用法です〈p. 223 6.（2）参照〉。

“problem to be solved by the invention”は、「発明により解決されるべき課題」です。この項目では、「背景技術」で述べた従来技術の欠点を述べます。この欠点を解決するのが本発明であるという流れに誘導します。

（２）日除け発明の背景技術の問題点と英訳

この「日除け」の背景技術には、特定の時期や時間からずれると、日除け性能が低下してしまうという問題点がありました。その点を明細書で詳しく述べています。

① 発明の開示【００１７（前段）】

しかしながら、上記先行技術は、シェルピンスキー四面体を遮光面とし、特定の方向から見て透孔部を遮断するように構成されているが、特定の方向からずれた場合、すなわち、正午の太陽光を最大限に遮断しようとした場合の11時や13時など正午を外れた時間帯には透孔部から漏れた日光が増加し、日除け性能が低下する。

The aforementioned prior art is, however, structured such that the Sierpinski Tetrahedron is designated as the light shielding surfaces to block the through-hole parts when seen from a certain direction, but increases sunlight transmitted from the through-hole parts and decreases its sunshade performance when a direction of the sunlight is shifted from the certain direction at times other than the noon hour such as 11:00 AM or 1:00 PM when blocking sunlight at noon maximally is attempted.

キーワード	英訳	備考
しかしながら	however	
上記	the, above-described, above	
先行技術	prior art	
シェルピンスキー四面体	Sierpinski Tetrahedron	
遮光面	light shielding surface	surfaceは可算名詞
特定の方向	certain (specified, specific) direction	directionは可算名詞
ずれる	shift, deviate	
すなわち	namely, in other words, in short, i.e.	コロン(:)は前の文章を補足したり、列挙する後の文章の前に置かれることがあるため、「すなわち」の意味を持つことがある
透孔部	through-hole part	partは可算名詞

遮断する	block, shield, cut off, shut off	
～しようとする	try to …, attempt to …	
正午	noon	
時間帯	time zone	zoneは可算名詞
太陽光（日光）	sunlight	
最大限に	maximumly	
漏れる	leak	「（光が）漏れる」場合の「漏れる」はtransmitを使うことがある
日除け性能	sunshade performance	
低下する	decrease, deteriorate, reduce	

【英訳ノウハウ１】

◆しかしながら、上記先行技術は、～ように構成されている

◇和文では「しかしながら」から始まる文章でも、英訳する際は“however”を文頭ではなく、文中に置くことが多いです。

☞The above-mentioned prior art is, however, structured such that …

【英訳ノウハウ２】

◇特許翻訳において「上記」は頻出用語ですが、使い分けが必要です。

クレーム		the, said
明細書	課題を解決するための手段	the, saidあるいはabove-described ※above-describedは強調したいとき
	上記以外	the, said あるいはabove-described

【英訳ノウハウ３】

◆上記先行技術は、シェルピンスキー四面体を遮光面とし、特定の方向から見て透孔部を遮断するように構成されている。

☞The prior art is configured such that…

注）どのような構成なのか、その「中身」を“such that”以降に記載する。

◇ここでの中身は、「シェルピンスキー四面体を遮光面とし、特定の方向から見て透孔部を遮断する」です。どのような構成なのかを表現するには、以下のように２つの方法がありますが、どちらでも構いません。

【英訳ノウハウ４】

◆シェルピンスキー四面体が遮光面とされる、特定の方向から見て透孔部が遮断される

◇「中身」を受動態に変換してからリフレーズすると英訳しやすくなります。

➢シェルピンスキー四面体が遮光面として指定される、

☞the Sierpinski Tetrahedron is designated as the light shielding surfaces to block through-hole parts when they are seen from a certain direction.

◇「シェルピンスキー四面体が遮光面として指定される」結果、「特定の方向から見て透孔部が遮断される」ので、「結果のto不定詞」を使っています。

◆シェルピンスキー四面体が遮光面として指定される、特定の方向から見て透孔部が遮断される

◇「前半部の結果として後半部が導かれる」のではなく、前半と後半を並列に表現すると以下のようになります。

☞the Sierpinski Tetrahedron is designated as the light shielding surfaces and through-hole parts are blocked when seen from a certain direction.

【英訳ノウハウ５】

◆特定の方向からずれた場合、日除け性能が低下する

◇「ずれた場合」は「太陽光線の方向がずれた場合」と補うことができます。

➢（太陽光線の方向が）特定の方向からずれた場合、（先行技術の日除けは）日除け性能を低下させる。

☞The prior art (sunshade) decreases its sunshade performance when a direction of the sunlight is shifted from the certain direction.

【英訳ノウハウ６】

◆正午の太陽光を最大限に遮断しようとした場合

◇上記の和文を以下のようにリフレーズすると英訳しやすくなります。

➢正午の太陽光を最大限に遮断することが試みられる場合

☞when blocking sunlight at noon maximumly is attempted

【英訳ノウハウ７】

◆正午を外れた時間帯には、日除け性能は低下する。

◇上記の和文を以下のようにリフレーズすると英訳しやすくなります。

➢正午を外れた時間帯には（日除け）は日除け性能を低下させる。

☞(The sunshade) decreases its sunshade performance at times other than the noon hour.

② 発明の開示【００１７（後段）】

また、太陽光が厳しい７月末や８月初旬に遮光性能を最大にしようとすれば、７月中旬以前の期間や、８月中旬以降の期間には透孔部から漏れた光が増加し、日除け性能が低下する。

Additionally, attempting to maximize light shielding performance at the end of July or at the beginning of August when sunlight is intense increases light transmitted from the through-hole parts and decreases the sunshade performance during the period before the middle of July and after the middle of August.

キーワード	英訳	備考
（太陽光が）厳しい	intense, tough, strong	
最大にする	maximize	
期間	period	可算名詞
光	light	不可算名詞
増加する	increase	自動詞／他動詞

注)「また」について、【００１７(前段)】では「正午をずれた場合は光が増加する」などと述べており、この文章では７月中旬以前等の期間も光が増加するなどと付け加えているため、“Additionally, In addition, Further, Furthermore”等、追加の意味を有する副詞や熟語を使う。しかし、「また」は「他方(On the other hand)」という意味で使う場合もあるため、その都度、前の文章との関係を見極め、適切な訳語を選択する必要がある。

注)「厳しい」は、太陽光が「強烈である」の訳語として“intense”を使う。

【英訳ノウハウ】

◆遮光性能を最大にしようとすれば、光が増加し、日除け性能が低下する。

◇上記下線部の動作を主語にして、「(その結果、)光を増加させ、日除け性能を低下させる」といった整理をすると英訳しやすくなります。

☞Attempting to maximize light shielding performance increases light and decreases sunshade performance.

主　語	遮光性能を最大にしようとすれば	Attempting to maximize light shielding performance
目的語	光を	light
動　詞	増加させ	increases
目的語	日除け性能を	sunshade performance
動　詞	低下させる	decreases

③ 発明の開示【００１８】

ここでは、「従来技術に問題があったから本発明がなされた」に導きます。「特定の時期や時間をずれると、日除け性能が低下する」という従来技術の問題点を解決するために、本発明の日除けが発案されたことを述べていきます。

この本発明は、上記課題を解決するため、太陽光が強い時間帯や季節がずれても、日除け性能が低下しにくい日除け構造を提供することを目的とする。

In order to solve the aforementioned problems, the present invention aims at providing a sunshade structure which barely decreases sunshade performance even in time zones or seasons when sunlight is not intense.

キーワード	英訳	備考
解決する	solve, resolve	
(太陽光が)強い	intense	
季節	season	可算名詞
時間帯	time zone	zoneは可算名詞
ずれる	shift, deviate	
日除け性能	sunshade performance, sunshade ability	
低下する	deteriorate, decrease	「悪化する」の場合は deteriorate
～しにくい	hardly …, barely	
日除け構造	sunshade structure	
提供する	provide	
～を目的とする	aim at … ing, aim to …	

注）～しにくい(hardly …)は、「ほとんど～しない」に言い換えられるので、"hardly, barely"が使える〈p. 186 1. (8) 参照〉。「～するには困難を伴う」(with difficulty)もあるが、あまり直接的な表現ではない。

注）「～を目的とする(aim at … ing)」は、特許翻訳では頻出フレーズである。「この発明の目的は、～を提供することである」と言い換えて、The purpose of the present invention is providing … としてもよいが、The present invention aims at providing … と英訳することが多い。

注）aim to …(～をしたいと思う、～を企画している)、aim at …(～を目指す)という違いがあり、発明の目的を述べる場合は"aim at"のほうが適切。"aim at"の後には、名詞や動詞のing形(動名詞)が置かれる。

【英訳ノウハウ】

◆太陽光が強い時間帯や季節がずれても、日除け性能が低下しにくい

◇「季節」が「ずれても」にかかるのは当然ですが、「時間帯」も季節と並列なので「時間帯と季節のどちらか一方がずれても」という意味になります。そして、ここでの英訳のポイントは、「ずれても」に引っ張られないことです。意味は変えずに別の表現に置き換えてみると英訳しやすくなります。

➢太陽光が強くない時間帯や季節であっても、日除け性能が低下しにくい

◇なお、太陽光が強くない季節や時間帯は複数存在するため、「季節」や「時間帯」は複数形にする必要があります（"zone"と"season"は可算名詞）。また、上記下線部の「であっても」の英訳として"even"を使います。

☞even in time zones or seasons when sunlight is not intense

注）"time zones or seasons when …"の"when"は関係副詞であり、先行詞は"time zones and seasons"である〈p. 216 5.（1）参照〉。

（3）課題を解決するための手段（本発明の構成要件）

この項目では、従来技術の問題点を解決するための本発明の構成を記載します。特許請求の範囲の記載と内容は同一であるため、「課題を解決するための手段」と「特許請求の範囲」は互いに表現を若干修正して記載します。

特許請求の範囲には発明の構成要件が記載されているため、これが発明そのものです。特許請求の範囲には、「発明を特定するために必要と認める事項のすべてを記載」する必要があります（36条5項）。

① 課題を解決するための手段と請求項

「課題を解決するための手段」の英訳が完成すれば、同時に請求項を仕上げたも同然ですが、両者はほぼ同じ表現なので、内容が難解です。しっかり読み込んで内容を理解した上で英訳しなければなりません。

例えば、【請求項１】の「日除けであって、～を特徴とする日除け」と結ぶ特殊な文体を、【００１９】では「請求項１に記載した日除けは…を特徴としている」といった具合に通常の文体へと書き換えているところが両者の根本的な違いです。なお、「初出」はここであらためて判断します。

【００１９】

上記の目的を達成するため、請求項１に記載した日除けは、複数の遮光面と…形成されていることを特徴としている。

【請求項１】

複数の遮光面と…形成されていることを特徴とする日除け。

② 請求項のタイプの特定

請求項を英訳する場合、日本語のクレームタイプに合わせます。ちなみに「日除け」の請求項１は、「湾曲円状部材を湾曲方向がそろうように配置する」という特徴を述べるために、「ジェプソンタイプ」を採用しています。

このタイプの場合、「であって、」以前には先行技術が、それ以降には構成要件の特徴が記載されているので、大きな２つのブロックに分けられます。

③ 課題を解決するための手段【００１９（前段）】

上記の目的を達成するため、請求項１に記載した日除けは、複数の遮光面と複数の隙間が三次元的に配置され、所定の遮光角度から観察した場合に上記の各隙間が背後に配置された各遮光面によってほぼ塞がれた状態に見える構造を備えた複数の日除け部材を、一定の方向にそろえて配置した日除けブロックを複数備えた日除けであって、

In order to achieve the aforementioned object, a sunshade according to claim 1 is a sunshade comprising a plurality of sunshade blocks, each of which has a plurality of sunshade members aligned in a certain direction, the plurality of sunshade members are configured such that a plurality of light shielding surfaces and a plurality of gaps are arranged three-dimensionally, and when observed from a prescribed light shielding angle, the gaps appear to be substantially blocked by their respective light shielding surfaces that are arranged behind the gaps,

キーワード	英訳	備考
目的	purpose, aim	いずれも可算名詞
達成する	attain, achieve	
請求項1に記載の～	… described in Claim 1, … recited in Claim 1, … according to Claim 1	recite（列挙する、暗唱する）
所定の	prescribed, predetermined, given	
遮光角度	light shielding angle	
観察する	observe	
背後	background, back	
配置する	dispose, arrange, locate	
ほぼ	almost, nearly, approximately, substantially	about, around, roughly, approximatelyは数量に付されることが多い
塞ぐ	block, occlude, shield	
状態	status, state	原則としてstatusは不可算名詞 stateは「状態」という意味のときは可算名詞
見える	appear	
構造	structure	「構造」という意味のときは不可算名詞

注）「ほぼ」について、ここでは「ほぼ塞がれている」という内容であるため、“almost”や“substantially”（実質的に）を使う。

【英訳ノウハウ1】

「難解な文章」とは、区切る位置やそれぞれの単語のかかり具合などが一見して分かりにくい文章のことを指します。こうした文章を読みこなすには、区切る場所に印を付けたり、線で囲んだりして視覚的に整理することが重要です。

まず、「上記目的を達成するため、請求項1に記載した」はクレームの内容を理解する上では不要であるため、次ページのように思い切って取り消し線を引いて読み飛ばしてください。

~~上記の目的を達成するため、請求項１に記載した~~日除けは、複数の遮光面と複数の隙間が三次元的に配置され、所定の遮光角度から観察した場合に上記の各隙間が背後に配置された各遮光面によってほぼ塞がれた状態に見える構造を備えた複数の日除け部材を、一定の方向にそろえて配置した日除けブロックを複数備えた日除けであって、

次に、「日除けは、…三次元的に配置され」と文章がつながっているため、「日除けの遮光面と隙間が三次元的に配置されている」と思われるかもしれませんが、それは誤りです。

その後をよく読むと、「複数の遮光面と複数の隙間が三次元的に配置され」ているのは「日除け部材」であることが分かります。したがって、「複数の…日除け部材」は一つの塊なので、以下のように枠で囲んで整理してみましょう。

~~上記の目的を達成するため、請求項１に記載した~~ **日除け**は、

複数の遮光面と複数の隙間が三次元的に配置され、所定の遮光角度から観察した場合に上記の各隙間が背後に配置された各遮光面によってほぼ塞がれた状態に見える構造を備えた複数の日除け部材

を、一定の方向にそろえて配置した日除けブロックを複数備えた **日除け** であって、

「日除け部材を、一定の方向に…」の読点（、）は文章が長いために打たれているにすぎないので無視してください。すると、「日除け部材が一定方向に配置されることによって日除けブロックが構成される」ことが分かります。

また、「日除けブロックを複数備えた日除け」の記載から、日除けは日除けブロックを複数備えていることが分かります。

なお、当然のことではありますが、文頭と文末にある「日除け」は同じです。「日除け」から始まり「日除け」で終わっているので、少し違和感があるかもしれませんが、これがクレームの文章の特徴なのです。

【英訳ノウハウ２】

◆所定の遮光角度から観察した場合

◇「～を～から観察した場合、～を～から見た場合」は、“when observed from …”や“when seen from …”という表現を使います。このとき主語は、「観察されるもの」「見られるもの」です。

☞when observed from a prescribed (predetermined, given) light shielding angle

◇なお、「所定の角度から観察した場合に、開口は円形である」という文章の場合、「観察される」のは「開口」なので、以下のように英訳します。

☞When an opening is observed from a prescribed angle, it is circular.

◇上記の“when”を省略して分詞構文にすると以下のようになります。

☞Observed from a prescribed angle, an opening is circular.

◇分詞構文の場合、分詞の意味上の主語と主節の主語が一致しているときは、分詞の主語を削除します。以下の文章は主語が一致していません。

☞When observing an opening, it is circular.

◇一致していないのは、“When observing”の主語が、観察者（an observer, weなど）だからです。このときは、以下のように分詞の主語を記載すべきです。これを「独立分詞構文」といいます。

☞The observer observing an opening, it is circular.

注）分詞の主語を残さず、主節の主語に一致していない分詞構文のことを「懸垂分詞構文」という〈p. 233. 8. (8) 参照〉。

【英訳ノウハウ３】

◆背後に配置された

◇「隙間が背後に配置された各遮光面によって塞がれ」という場合の位置関係は、「隙間がその隙間の背後に配置された遮光面により塞がれる」のですから、“behind”の後にどのような言葉を置くかが問題になります。

☞gaps are blocked by light shielding surfaces that are arranged behind the gaps

◇上記は正確な表現ではありますが、“gaps”を繰り返すのが気になる場合は、“therebehind（その背後）”を使ってもよいでしょう。「前に登場した言葉の背後にある」という意味になります〈p. 188 1. (11) 参照〉。

☞gaps are blocked by light shielding surfaces that are arranged therebehind

【英訳ノウハウ４】

◆上記の各隙間が背後に配置された各遮光面によってほぼ塞がれた状態に見える

☞the gaps appear to be substantially blocked by their respective light shielding surfaces that are arranged behind the gaps

注）「各遮光面」は複数の隙間のそれぞれの「遮光面」を指しているため、“each”より“respective”を使うほうが好ましい〈p. 183 1. (4) 参照〉。

◇ただし、英訳する際は、「各隙間」「各遮光面」のように、いずれにも「各」を付す必要はありません。「遮光面」にのみ「各」を付せば十分です。

☞the gaps are blocked by their respective light shielding surfaces

◇「（複数の）隙間」は『各遮光面』により塞がれている」と述べ、「隙間」に「各」を付さなかったとしても意味は十分に通じます。仮に、「（複数の）隙間は遮光面により塞がれている」と表現すると、数の関係が不明確になってしまうので注意しましょう。

特開2019-218815【図７】

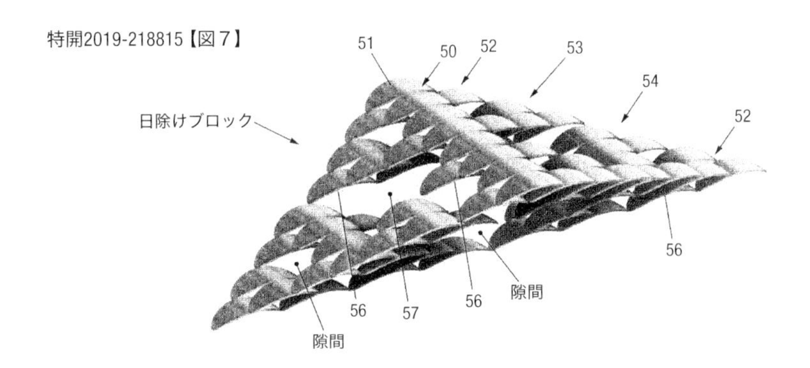

【英訳ノウハウ５】

◆複数の日除け部材を、一定の方向にそろえて配置した日除けブロック

☞A sunshade block formed by aligning a plurality of sunshade members in a certain direction

◇上記英訳において、“arrange（配置する）”はありますが、“align（そろえる）”が見当たらないことにお気づきでしょうか？ 「日除け部材を一定方向にそろえ、かつ配置する」を直訳すると、以下のようになります。

☞align and arrange sunshade members in a certain direction

◇しかし、「一定の方向に」が「そろえる」を、「そろえる」が「配置する」を表現しているので、どちらかは不要です。試しに機械翻訳で「日除け部材を一定の方向にそろえて配置する」と入力してみたところ、いずれのツールでもどちらか一方が選択されました。

Google®翻訳：Arrange the awning members in a certain direction.
DeepL®翻訳：Align the sunshade materials in a certain direction.

◇つまり、「分散配置する」「そろえて配置する」のように、２つの動詞を使わなくても意味が正しく伝わる場合、簡潔性の観点から、どちらかの動詞を省略しても構いません。上記の和文は、以下のように言い換えることもできます。

➢一定方向に配置された複数の日除け部材を有するブロック

☞A sunshade block having a plurality of sunshade members aligned in a certain direction

注）下線部の「having＋目的語＋過去分詞」については、p. 194 1.（18）参照。

④ 課題を解決するための手段【００１９（後段）】

上記日除け部材が、円形または楕円形の板材を湾曲させた湾曲円状部材を複数用い、各湾曲円状部材をそれぞれの湾曲方向がそろうように配置するとともに、相互の端部同士を連結することによって形成されていることを特徴としている。

The sunshade member is formed by: using a plurality of curved circular members formed by curving circular or oval plate materials; arranging the curved circular members such that their respective curved directions are aligned; and connecting their ends to each other.

キーワード	英訳	備考
円形	circular shape	shapeは可算名詞
楕円形	oval shape	
板材	plate material	
一定の方向	a certain direction	directionは可算名詞
それぞれの湾曲方向	respective curved directions	
連結する	couple, connect	それぞれの違いについては p. 203 2. (6) 参照
端部同士を連結する	connect both ends to each other	

注)「それぞれの湾曲方向」は、複数の部材の湾曲方向であるため、“direction（方向）”は複数形とする。複数の名詞に付される「各」は“respective”を使う。

注)「端部同士を連結する」は、「端部を相互に連結する」という意味であれば、“connect ends to each other”であるが、ここでは「相互の端部を連結する」という意味。「相互の」を強調するため、“mutual（相互の）”という形容詞を使い、“connect mutual ends”としてもよい。

【英訳ノウハウ１】

「であって、」以降は通常の文体で記載されているため、通常の英訳と変わりません。ただし、通常の文章であるとはいえ、主語と述語の関係やかかり受けが複雑であるため、矢印や下線を引きながら理解していきましょう。

~~上記~~日除け部材が、円形または楕円形の板材を湾曲させた湾曲円状部材を複数用い、各湾曲円状部材をそれぞれの湾曲方向がそろうように配置するとともに、相互の端部同士を連結することによって形成されている~~ことを特徴としている~~。

まず、「上記」は英訳すべきですが、ここでは読みやすさのために削除します。また、「ことを特徴としている」は、仮になかったとしても意味は通じるので削除します。次に、「用い、配置する、連結する」という３つの動詞の主語を考えます。文頭に「日除け部材が」とありますが、これらの動作を行うのは、「日除けを組み立てる者」です。しかし、その人物は文章中に表されていません。

なお、「日除け部材」（主語）の述語は「形成されている」です。そして、「によって」からも分かるように、「用い、配置する、連結する」は、日除け部材を形成するための手段ということになり、３つの動詞ごとにまとめると、以下のように分かりやすく整理することができます。

~~上記~~日除け部材が、

・円形または楕円形の板材を湾曲させた湾曲円状部材を複数用い、

・各湾曲円状部材をそれぞれの湾曲方向がそろうように配置するとともに、

・相互の端部同士を連結することによって

↓

形成されている~~ことを特徴としている~~。

【英訳ノウハウ２】

◆相互の端部同士を連結する

◇ここでは「同士を」の訳語がポイントです。以下のように言い換えます。

➢端部を互いに連結する

◇互いに（each other）の前置詞に注意が必要ですが〈p. 184　1.（5）参照〉、以下の英訳が候補として挙げられます。

☞couple A with （to） B

☞connect A with （to） B

◇しかし、厳密にいうと“connect A with B”と“connect A to B”は意味が異なる場合があります。前者は「ＡをＢに関与させる、関係させる、Ａにより Ｂを連想する」を意味し、後者と同様に「ＡをＢに接続する、関連づける、結合する、結び付ける」も意味します。
注）ここでは接続の意味であるため、いずれを使ってもよい。

【英訳ノウハウ３】

◆部材をそれぞれの湾曲方向がそろうように配置する

☞arrange members such that their respective curved directions are aligned

注）「～のように…する／される」では、“such that”または“so that”を使うことができる〈p. 183　1. (3) 参照〉。

⑤ 課題を解決するための手段【００２０】

また請求項２に記載した日除けは、請求項１の日除けであって、さらに、上記日除けブロックを、それぞれの湾曲凹面を一定の方向にそろえて枠材に複数組み付けてなる複数の日除けユニットと、各日除けユニットを地面から所定の高さに支持する支持構造体とを備えたことを特徴としている。

The sunshade described in Claim 2, which is the sunshade according to Claim 1 further comprises: a plurality of sunshade units formed by mounting the plurality of sunshade blocks in a frame material with their respective curved concave surfaces aligned in a certain direction; and a supporting structure which supports the sunshade units at prescribed height from the ground.

キーワード	英訳	備考
湾曲凹面	curved concave surface	surfaceは可算名詞
凹	depression, concavity	いずれも「凹部」を意味する場合は可算名詞

所定の高さ	prescribed (predetermined, given) height	heightは「高さ」を表す場合は原則として不可算名詞。具体的な高さを表す場合は可算名詞(Weblio辞書)
地面	ground	
支持する	support	
支持構造体	supporting structure supporting assembly	structureは「構造」の意味のときは不可算名詞、「建造物」の意味のときは可算名詞。「組立品」を表すassemblyは可算名詞
枠材	frame material	materialは原則として不可算名詞。具体的には可算名詞(Weblio辞書)

注)「湾曲凹面」は「湾曲した凹面」と言い換えが可能。「湾曲面」と「凹面」は同じ意味であるが、強調するために、あえて同じ言葉を重ねている。本来であれば"a curved surface(湾曲面)"のみで正しい意味を伝えることができるが、本発明の特徴は「日除けブロックが湾曲していること」であるため、凹面であることも重ねて述べている。凹面にはさまざまな訳語があり、反対語の凸面も含めて特許翻訳では頻出である。

a)凸：protrusion(可算名詞), convexity(凸面の意味のときは可算名詞)

b)凸凹：concavity and convexity, unevenness

注)「所定の」にはさまざまな訳語があり、特許翻訳では最頻出といっても過言ではない。「一定の」に言い換えて"certain"とすることもできる。

注)支持構造体は、「支持している構造体」と言い換え、訳語を当てる。支持構造体としては、"frame"という訳語が辞書「英辞郎 on the WEB」にあるが、p.45の図のとおり、日除けブロックを支持している構造物であるため、"frame"と訳すと意味が異なってしまう。このように辞書に掲載されている訳語をそのまま採択するのではなく、明細書の場面に応じて適切な訳語の創作が必要な場合もある。また、本明細書では、真の意味でのフレームが登場するため、支持構造体を"frame"とすることはできない。

注）請求項２は、「請求項１に記載の日除けであって」という表現から従属項であることが分かる。通常、請求項２は請求項１の従属項であることが多いが、独立項の場合もある。

注）特に請求項２は請求項１の従属項であるため、請求項１に追加する意味で「また」の文言が使われている。しかし、「請求項２に記載した日除けは、請求項１の日除けであって」というフレーズでその点が理解できるため、「また」の訳は不要である。あえて訳す場合は、“In addition, Additionally, Further, Furthermore”を使う。

【従属項（従属クレーム）とは】

「請求項２は請求項１の従属項（a dependent claim）である」を英訳すると、“Claim 2 is dependent on Claim 1.”であり、この表現は中間書類の翻訳でよく使うので覚えておきましょう。従属項（従属クレーム）とは、先行する独立項（独立クレーム）を引用して、独立項の構成要件などを限定するクレームです。例えばここでは「請求項１の日除け」は、「日除けユニットと支持構造体をさらに備えている」という限定を加えています。

「さらに」を付しているのは、請求項１で「日除けは日除けブロックを備えている」と述べているのに加え、請求項２では「日除けは日除けユニットと支持構造体を備えている」と述べているからです。「さらに」の訳語は“further”であり、“the sunshade further comprises ….”と表現します。クレームでは“the sunshade further comprising ….”と表現します。

【構成要件を加えることが限定になる理由】

請求項２など、従属項で構成要件を追加することは、発明の限定に該当します。構成要件が増えると発明の範囲が広がるように思われるかもしれませんが、限定を重ねることで、逆に狭くなるのです。

本発明（日除け）に構成要件を追加するごとに技術的事項は増えていきますが、「権利範囲」という観点からみると、請求項１のほうが請求項２よりも広いことになります。

請求項1：日除けブロックのみ
請求項2：日除けブロック＋日除けユニット＋支持構造体
} を有している日除け

第三者にこの日除けを無断で製造されてしまう場合、第三者の製造した日除けが日除けブロックだけでなく、「日除けユニット＋支持構造体」まで有していないと特許権の侵害とは言えなくなってしまいます。

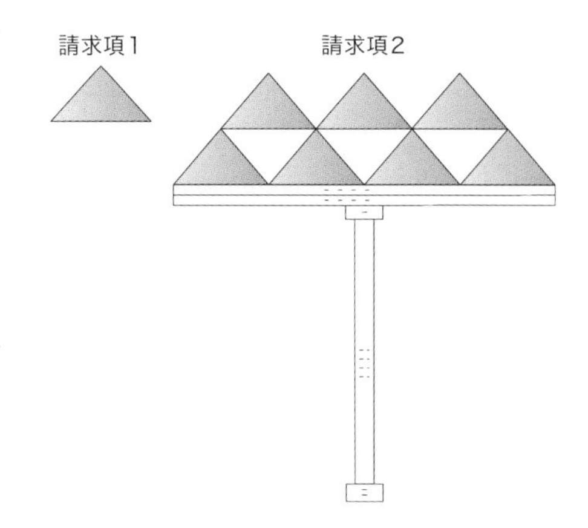

したがって、このように構成要件の追加は従属項で行い、独立項では必要最低限の構成要件のみを記載しておくのです。

「クレームは、書けば書くほど権利範囲が狭くなる」という逆説的な原則がありますが、何も書かなければよいというわけではなく、発明を特定するために必要な事項のすべてを請求項ごとに記載しなければなりません（36条5項）。

【なぜ従属項が必要なのか？】

「限定すると権利範囲が狭くなるのであれば、従属項はそもそも不要ではないか？」と考える人もいるでしょう。しかし、従属項があることで、拒絶理由を受けたときに独立項を従属項と合体させて拒絶理由を回避することができるのです。

例えば、以下の請求項を有する特許出願をした場合、請求項1について、「日除けブロックのみを有する日除け」といった先行技術により拒絶理由がされた場合、請求項2の構成要件を請求項1に組み込むことで、拒絶理由を回避することができます。

請求項1：日除けブロックのみを有している日除け
請求項2：支持構造体をさらに備えた請求項1に記載の日除け

「…そうであれば、最初から請求項１に請求項２の構成要件を組み込んで記載しておけばよいのでは？」と思われるかもしれませんが、「なるべく広い権利を取得したい」というのが発明者の心理です。ですから、最初は独立項を広く記載し、拒絶理由を受領したときに初めて従属項と組み合わせて限定し、拒絶理由を回避すればよいのです。そのためにもさまざまなレベルの従属項を記載しておくことは重要です。

他方、広い権利範囲の請求項を記載することにはデメリットもあります。大きな網を広げれば、それだけ多くの魚が網に掛かるのと同じで、広い請求項はそれだけ多くの引例（先行技術）も引っ掛けてしまいます。

例えば、「収納容器を備えた扉の発明」の例で考えてみましょう。

本件発明を「収納容器を備えた扉」とすれば権利範囲は広くなりますが、引例１や２に基づいて進歩性が否定されてしまいます。

これに対して、本件発明を「ゴミ箱を中央部に備えた扉」というように記載すれば、少なくとも「収納容器を上部や下部に備えた扉」（引例１や２）に引っ掛かることはないでしょう。

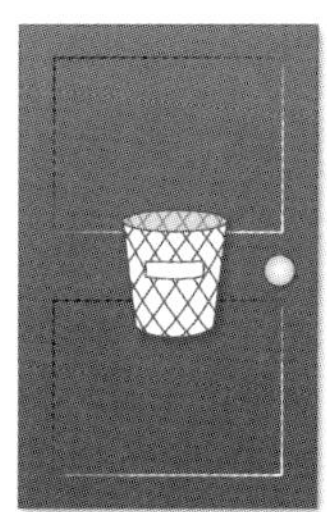
本件発明

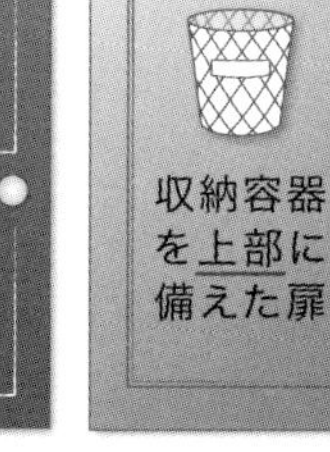

引用1

引用2

【請求項を読むときの注意】

独立項（ここでは請求項１）、従属項（ここでは請求項２以降）に共通することですが、請求項は権利を広く取得するために最小限の記載がされています。したがって、請求項の文言のみでは具体的にイメージしにくく、図面を参照しながら明細書の該当箇所を読むことによって、請求項の内容を理解することができます。サポート要件により、特許請求の範囲に記載した事項は、明細書に記載されている必要があります〈p. 150　1. (2) 参照〉。

「日除けブロックを、それぞれの湾曲凹面を一定の方向にそろえて枠材に複数組み付ける」という請求項を理解するため、明細書の該当箇所を参照します。

下図のように、ブロック60、61を複数個、枠材74、75に組み付けて日除けユニットを形成します。請求項には記載されていませんが、ブロックには正置ブロック60（図10）と倒置ブロック61（図12）があります。

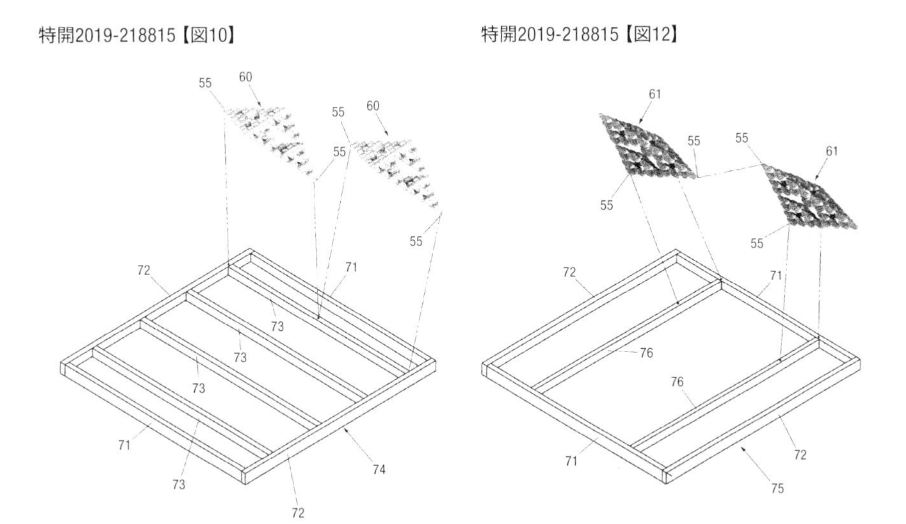

特開2019-218815【図10】　特開2019-218815【図12】

この点は次の請求項３に記載されています。請求項２では、「複数の日除けブロックを湾曲凹面を一定の方向にそろえて枠材に複数組み付ける」ことのみが記載されています。「正置ブロック」「倒置ブロック」のようなブロックのさらなる限定は、なるべく後の請求項で行うようにしています。

以下は正置ブロック60の３Ｄ画像です。

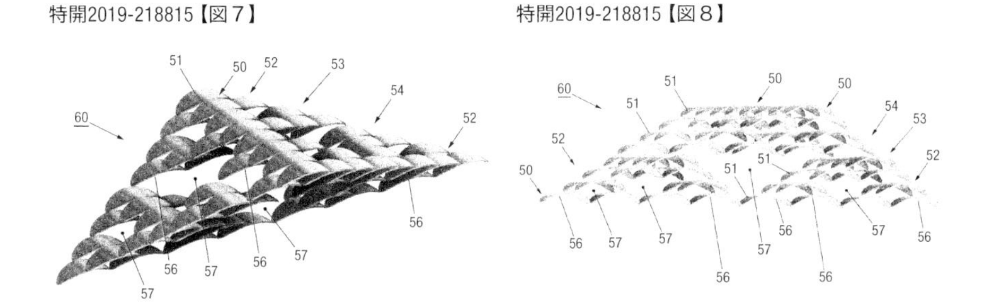

特開2019-218815【図７】　特開2019-218815【図８】

このように枠材に組み付けた日除けブロック(正置ブロック、倒置ブロック)を支持部材82、83で支持します。

特開2019-218815【図14】

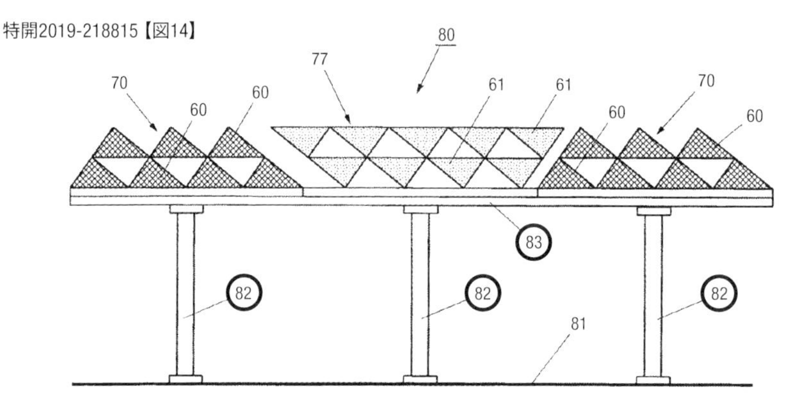

【英訳ノウハウ１】

◆上記日除けブロックを、それぞれの湾曲凹面を一定の方向にそろえて枠材に複数組み付けてなる複数の日除けユニット

◇以下のように和文を言い換えて意味を明確にすると英訳しやすくなります。また、項目に番号を付すと、さらに整理できるのではないでしょうか。

➢上記日除けブロックを、それぞれの湾曲凹面を一定の方向にそろえて、枠材に組み付けることにより構成される日除けユニット

➢上記日除けブロックを、① それぞれの湾曲凹面を一定の方向にそろえた状態で、② 枠材に組み付けることにより構成される、日除けユニット

注)「湾曲凹面を一定の方向にそろえた状態で」は、付帯状況を表す「with＋名詞＋過去分詞」のフレーズを使うことができる〈p. 194　1. (19) 参照〉。

【英訳ノウハウ２】

◆～を所定の高さに支持する

◇以下のように言い換えたほうが英訳しやすくなります。

➢～を所定の高さのところで支持する

☞support … at prescribed height

【英訳ノウハウ３】

◆請求項１の日除けであって

◇これは従属項に特有の表現です。「請求項１に記載した日除けをさらに限定する」という意味で、従属項の冒頭に記載されます。

☞the sunshade according to Claim 1

☞the sunshade described in Claim 1

☞the sunshade recited in Claim 1

注）上記のようにさまざまな表現があるが、“according to Claim 1”が最頻出である。請求項１に記載した日除けであるため、“sunshade”に定冠詞“the”を付すことに注意が必要である。

【英訳ノウハウ４】

◆請求項２に記載した日除け

◇これも従属項に特有の表現です。「請求項２に記載した日除け」は請求項１に記載した日除けを引用しているため、定冠詞“the”を付します。クレームを訳すときも同様であり、従属項の発明には定冠詞を付します。

☞the sunshade described in Claim 2

☞the sunshade recited in Claim 2

☞the sunshade set forth in Claim 2

【英訳ノウハウ５】

◆請求項２に記載した日除けは、請求項１の日除けであって、さらに、～を備えている

☞The sunshade described in Claim 2 is the sunshade according to Claim 1, and further comprises…

◇上記のように、“is the sunshade”と“and further comprises…”を並列に訳してもよいのですが、下記のように関係代名詞を使うと、「請求項２に日除けは～を備えている」というＳＶＯの文型で記載することができます。

☞The sunshade described in Claim 2 which is the sunshade according to Claim 1 further comprises…

注）上記下線部のように関係代名詞を使ったとしても、全体のワード数は変わらない。しかも、「主語：is … and comprises ….」といった複雑な表現ではなく、「主語 comprises …」のように、コンパクトにまとめることができるというメリットがある。

【英訳ノウハウ6】

◆～を特徴としている

◇「～を備えていることを特徴としている」＝「備えている」なので、「～を特徴としている」を訳す必要なく、"comprises"で十分です。

なお、"is (are) characterized in that …"や"is (are) characterized by …"などのフレーズを使用することも可能ですが、これらは欧州特許出願のクレームで使われることが多く、明細書の「課題を解決するための手段」の訳として、あえてこうしたフレーズを使う必要はありません。

【英訳ノウハウ7】

◆それぞれの湾曲凹面

◇明細書の原文より、複数の日除けブロックの湾曲凹面であることが分かるため、"respective"を使って、"surface"を複数形にします。

☞their respective curved concave surfaces

【英訳ノウハウ8】

◆日除けブロックを、枠材に複数組み付けてなる

◇「日除けブロックを」の後に読点「、」があるのは、このフレーズが長いため、適切な場所で区切る必要があるからです。

そして、日除けブロックは複数であっても、枠材は1つであるため、枠材は単数形とします。なお、「組み付けてなる」の「なる」は「形成される」という意味です。

☞formed by mounting a plurality of the sunshade blocks in a frame material.

⑥ 課題を解決するための手段【００２１】

また請求項３に記載した日除けは、請求項１の日除けであって、さらに、上記日除けブロックを、それぞれの湾曲凹面を一定の方向にそろえて枠材に複数組み付けてなる複数の正置ユニットと、上記日除けブロックを裏返した状態で枠材に複数組み付けてなる複数の倒置ユニットと、各正置ユニット及び倒置ユニットを地面から所定の高さに支持する支持構造体とを備え、上記正置ユニット及び倒置ユニットは、上記支持構造体上において互い違いに配置されていることを特徴としている。

The sunshade described in Claim 3, which is the sunshade according to Claim 1 further comprises: a plurality of normally-placed units formed by mounting the plurality of sunshade blocks in a frame material with their respective curved concave surfaces aligned in a certain direction; a plurality of inverted units formed by mounting the plurality of sunshade blocks in a frame material with the sunshade blocks turned upside down; and a supporting structure which supports the normally-placed units and the inverted units at prescribed height from the ground, wherein the normally-placed units and the inverted units are arranged alternately on the supporting structure.

キーワード	英訳	備考
枠材	frame material	
正置ユニット	normally-placed unit	
倒置ユニット	inverted unit	
各正置ユニット及び倒置ユニット	respective normally-placed units and inverted units	
裏返しにする	turn … upside down, turn … over	
互い違いに	alternately	

注）p. 47の【図10】【図12】にあるとおり、日除けブロックが組み付けられた枠材が複数存在するため、ここでは枠材が複数存在する。特に請求項３では正置ユニットと倒置ユニットが存在しており、枠材は必然的に複数となる。なお、正置ユニット60は表向き、倒置ユニット61は裏返して置かれている。

正置ユニットと倒置ユニットについては訳語を創作する必要があります。「正置」は「正しい向きに置いた」という意味であり、「倒置」はそれを「裏返して置いた」という意味になります。

なお、機械翻訳で「正置・倒置ユニット」を検索すると以下のとおりです。

Google®翻訳：vertical / inverted unit

DeepL®翻訳：upright （forward, normal） and inverted units

正置は「通常の向きに置かれた」という意味であるため、“normally-placed unit”や“inverted unit”と訳します。前者は「正置ユニット」の造語であり（正しく配置されたユニット）、“normally placed”が「正置」の１単語として把握されるように両者の間にハイフンを入れ、“normally-placed”が１つの形容詞として“unit”にかかるようにしています。ここでは“placed”という過去分詞が形容詞として機能しています。そして、“normally”（副詞）が“placed”を修飾しています。

なお、請求項３では、請求項２の「日除けユニット」を「正置ユニット」と「倒置ユニット」に分けています。そして、p. 48の【図14】のように、正置ユニット70と倒置ユニット77は、互い違いに支持構造体の上に配置されていることを述べています。

【請求項３で初めて「正置ユニット」と「倒置ユニット」が登場した理由】

請求項２と３では「日除けユニットが地面から所定の高さの支持構造体に配置されている」について実質的には同じことが記載されています。

さらに、請求項３では「日除けユニットには、正置ユニットと倒置ユニットがあり、それらが互い違いに支持構造体に置かれている」点が特徴です。

これも請求項１をさらに限定していることになります。

請求項２では漠然と「日除けユニット」と記載しておき、請求項３でそれには「正置ユニットと倒置ユニット」があること述べています。

なるべく具体的な内容は下位の請求項で記載することにより、少しでも広い権利を取得するためです。「日除けユニット」のほうが「正置ユニットと倒置ユニット」と記載するよりも権利範囲は広くなります。

そして、もし請求項２について「日除けユニットを備える日除け」という先行技術を引用した拒絶理由が通知された場合、請求項３と組み合わせることで拒絶理由を回避できます。請求項３には「正置ユニットと倒置ユニットがあり、これらが互い違いに配置されている」という特徴まで記載されているからです。

【英訳ノウハウ１】

◆日除けブロックを、枠材に複数組み付ける

☞mount a plurality of the sunshade blocks in a frame material

◇請求項２にも「枠材」は登場しますが、その際「正置ユニットを組み付ける枠材」として特定されていないため、請求項３では不定冠詞“a”を付します。

【英訳ノウハウ２】

◆上記日除けブロックを裏返した状態で

◇以下のように「with＋名詞＋過去分詞」のフレーズを使った訳例を２つ挙げます〈p. 194　1. (19) 参照〉。

☞with the sunshade blocks turned upside down

☞with the sunshade blocks turned over

◇このように、請求項３が請求項２と部分的に異なっているような場合、訳語やフレーズ、文体等を統一するため、冒頭からあらためて翻訳するのは避けるべきでしょう。請求項２の訳文に上書きして、異なる箇所のみ英訳することをお勧めします。

次ページの比較表を見ていただければ、請求項２で「日除けユニット」と記載されている文言が、請求項３では「正置ユニット」「倒置ユニット」に置き換わっていることが一目瞭然です。なお、【００２０】は請求項２に、【００２１】は請求項３にそれぞれ対応しています。

【課題を解決するための手段の比較】

【0020】	【0021】
請求項２に記載した日除けは、請求項１の日除けであって、さらに、上記日除けブロックを、それぞれの湾曲凹面を一定の方向にそろえて枠材に複数組み付けてなる複数の日除けユニットと、各日除けユニットを地面から所定の高さに支持する支持構造体とを備えたことを特徴としている。	請求項３に記載した日除けは、請求項１の日除けであって、さらに、上記日除けブロックを、それぞれの湾曲凹面を一定の方向にそろえて枠材に複数組み付けてなる複数の正置ユニットと、上記日除けブロックを裏返した状態で枠材に複数組み付けてなる複数の倒置ユニットと、各正置ユニット及び倒置ユニットを地面から所定の高さに支持する支持構造体とを備え、上記正置ユニット及び倒置ユニットは、上記支持構造体上において互い違いに配置されていることを特徴としている。
1. The sunshade described in Claim 2, which is the sunshade according to Claim 1 further comprises: a plurality of sunshade units formed by mounting the plurality of sunshade blocks in a frame material with their respective curved concave surfaces aligned in a certain direction; and a supporting structure which supports the sunshade units at prescribed height from the ground.	The sunshade described in Claim ~~2~~ **3**, which is the sunshade according to Claim 1 further comprises: a plurality of ~~sunshade units~~ **normally-placed units** formed by mounting the plurality of sunshade blocks in a frame material with their respective curved concave surfaces aligned in a certain direction: **a plurality of inverted units formed by mounting the plurality of sunshade blocks in a frame material with the sunshade blocks turned upside down;** and a supporting structure which supports ~~the respective sunshade units~~ **the normally-placed units and the inverted units** at prescribed height from the ground, **wherein the normally-placed units and the inverted units are arranged alternately on the supporting structure.**

注)【００２０】と【００２１】の英訳の相違点は以下のとおり。

・Claim 2 → Claim 3
・sunshade units(初出)→ normally-placed units
・direction, の後に「上記日除けブロックを裏返した状態で枠材に複数組み付けてなる複数の倒置ユニット」を追加
・the sunshade units(２回目)→ the normally-placed units and the inverted units
・最後に“wherein”として「上記正置ユニット及び倒置ユニットは、上記支持構造体上において互い違いに配置されている」を追加

◇前述したように、請求項２ではなるべく広い権利を取得するため、「日除けユニット」と述べています。「正置ユニット」と「倒置ユニット」という具体的な部材を述べると、権利範囲を限定してしまうことになるからです。

そして、請求項３で初めて「正置・倒置ユニット」を登場させることにより、「日除けユニット」を限定しています。

仮に、請求項２の構成要件を備えた先行技術を理由として請求項２が拒絶された場合には、請求項３の「正置・倒置ユニット」を請求項２に入れ込むことで拒絶理由を回避します。

【英訳ノウハウ３】

◆上記日除けブロックを裏返した状態で枠材に複数組み付けてなる複数の倒置ユニット

◇下線部の「枠材」は請求項３では２回目の登場ですが、倒置ユニットを組み付ける枠材としては初出であるため、不定冠詞“a”を付します(初出の「枠材」には正置ユニットを組み付けるため)。

☞a plurality of inverted units formed by mounting the plurality of sunshade blocks in a frame material with the sunshade blocks turned upside down

⑦ 課題を解決するための手段【００２２（前段）】

請求項４に記載した日除けは、請求項２または３の日除けであって、さらに、上記枠材と支持構造体との間に、各日除けブロックを地面に対して所定の傾斜角度で載置固定するための傾斜手段が設けられていることを特徴としている。

The sunshade described in Claim 4, which is the sunshade according to Claim 2 or 3 further comprises an inclination means for placing and fixing the sunshade blocks at a prescribed inclination angle relative to the ground between the frame materials and the supporting structure.

キーワード	英訳	備考
地面に対して	relative to the ground	relative to …は基準となるものに付される熟語
傾斜角度	gradient angle, inclination angle, tilting angle	angle（角度）は可算名詞、gradientは「傾き」という意味の可算名詞
載置固定する	place and fix	
傾斜手段	tilting means, inclination means	tiltは「傾斜」（名詞）、「傾ける」（他動詞）、「傾く」（自動詞）の意味 meansは単数形と複数形のいずれもmeans。単数形は不定冠詞aを付し、複数形はaを削除

注）所定の傾斜角度：at a prescribed (predetermined, given) inclination angle

注）～を所定の傾斜角度で載置固定する：place and fix … at a prescribed (predetermined, given) inclination angle

注）地面に対して所定の傾斜角度で：at a prescribed (predetermined, given) inclination angle relative to the ground

【請求項４の補足】

請求項２と３では、日除けブロックを枠材に組み付けた日除けユニットを支持構造体の上に配置する一方、請求項４では、枠材と支持構造体の間に傾斜板を設けることが記載されています。傾斜板（可動板84）は、「スペーサ86a～86c」を置くことで傾斜板の傾斜角度を調整できるとしています。可動板の一端にはヒンジ85を設けることにより、回転自在となっています。

※スペーサ：２つの部材の間隔を空ける場合に間に置く部材のこと。

特開2019-218815【図18】

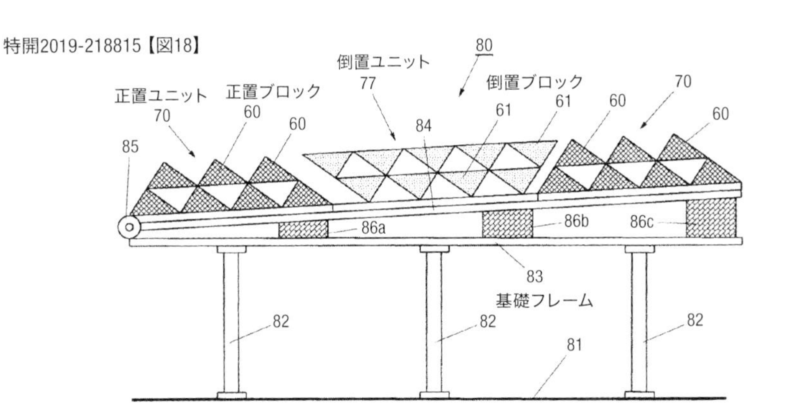

【請求項２と３の双方を引用する理由】

請求項４では、「請求項２または３の日除けであって」と表現し、この２つのクレームを引用しています。

請求項２は、「日除けユニットの枠材と支持構造体」を有し、請求項３は、「日除けユニット（正置ユニット＋倒置ユニット）の枠材と支持構造体」を有し、請求項４は、「枠材と支持構造体の間に傾斜手段を設ける」ため、請求項２と３の双方を引用しています。

「請求項２」の日除け ① 日除けユニットの枠材 ② 支持構造体	「請求項３」の日除け ① （正置ユニット＋倒置ユニット）の枠材 ② 支持構造体
「請求項４」の日除け：①と②の間に傾斜手段	

⑧ 課題を解決するための手段【００２２（後段）】

この傾斜手段としては、例えば、上記支持構造体の上部に配置された基板と、上記日除け部材のユニットが載置固定される可動板と、この可動板を上記基板の一端に回動自在に固定するヒンジと、上記基板と可動板との間に介装されるスペーサとからなり、上記スペーサの高さを変更することにより、上記可動板及び上記日除け部材のユニットの傾斜角度を任意に調整可能となしたものが該当する。

This inclination means includes, for example, a base plate arranged on the supporting structure, a movable plate on which the units of the sunshade members are placed and fixed, a hinge which fixes the movable plate to one end of the base plate rotatably, and a spacer interposed between the base plate and the movable plate, and is configured to make the inclination angle of the movable plate and the units of the sunshade members adjustable optionally by changing height of the spacer.

キーワード	英訳	備考
上部	on	
可動板	movable plate	plateは可算名詞
一端	one end	
回動する	pivot, turn, rotate	p.207 2.(10) 参照
回動自在に	pivotably, turnably, rotatably	いずれも「自在」の意味が含まれているため、freely（自在に）は不要
任意に	optionally, arbitrarily	arbitrarilyは「恣意的に」の意味もある
変更する	change, alter, modify	
調整可能	can be adjusted, adjustable	
基板	base plate, substrate	
ヒンジ	hinge	可算名詞
スペーサ	spacer	

注)“inclination”は「傾斜」という意味の名詞である。“incline”には「傾斜させる、曲げる」(他動詞)、「傾く、傾斜する」(自動詞)、「傾斜、傾斜面」(名詞)の意味があり、可算名詞。

注)上部(on the upper part, on the top, on, over)について、p.57【図18】のとおり、支持構造体の上に接して基板が置かれているため、ここでの前置詞は“on”を使う〈p.206 2.(9)参照〉。支持構造体とは、支持する脚部82を指し、その上に接した状態で基板フレーム83が置かれている。

注)「介装する(部材の間に配置すること)」の訳語は、interpose(介入する[自動詞]、介入させる[他動詞])であり、「～を～の間に介装する」は、“interpose … between …”とする。

注)「任意の」の訳語には“optional”や“arbitrary”のほかに“any”がある。

注)「基板」は部品などを搭載する板を指し、“substrate”と訳されることが多いが、本明細書では単に「基礎となる板」という程度の意味であるため、“base plate”を使う。

【００２２(後段)の補足】

明細書では基板を基礎フレーム83と名付けており、可動板84、基礎フレーム83、ヒンジ85、スペーサ86を合わせて「傾斜手段」としています。

請求項４は請求項２と３を引用する従属項であるため、必須というわけではありません。つまり、傾斜手段を設けても設けなくてもよく、枠材に組み付けた日除けブロックを水平な状態で置く使用態様のみで十分です。これが請求項２と３の状態です。

しかし、仮に水平状態の日除けブロックを有する日除けを先行技術として拒絶理由を受けた場合には、請求項４を請求項２、３と合体させ、日除けブロックの傾斜角度が変更できるという特徴を加えることによって、拒絶理由を回避できます。

なお、この明細書で「課題を解決する手段」の記載を次の段落で詳細に説明しているのは、請求項４に記載された発明のみです。請求項１～３に記載の発明は特に説明を加えていませんが、一般的にはすべての発明について説明することが多いです。

【英訳ノウハウ１】
◆傾斜手段としては、例えば、～からなり、～ものが該当する。
◇ここでのポイントは「該当する」の訳語です。以下のように言い換えることができます。
➢傾斜手段は、～からなる傾斜手段であってもよい。
☞This inclination means may be an inclination means which includes ….

◇“may be”は「～は～であってもよい」という意味を表現し、特許翻訳では頻繁に使用します。
このとき、「例えば」を訳す必要はありません。「傾斜手段は、～であってもよい」という表現には「例えば」の意味が含まれているからです。“may”（～であってもよい）という表現自体が例示を表していることになります。

➢傾斜手段は、例えば、～からなる傾斜手段である。
☞An inclination means is, for example, an inclination means which includes ….
◇「例えば」を英文に入れるとしたら、上記のように訳します。特許翻訳では「何も足さない、何も引かない」という原則があり、原語を落とさないため、“… is, for example, …”と訳すこともできます。

➢傾斜手段は、例えば、～を備えている。
☞This inclination means includes, for example, ….
◇このように、「該当する」を無視して、「傾斜手段は、例えば、～を備えている」と訳すのも一つの方法です。ここでは、この訳例を採用します。

【英訳ノウハウ２】

◆(傾斜手段は)、上記スペーサの高さを変更することにより、上記可動板及び上記日除け部材のユニットの傾斜角度を任意に調整可能となしたものが該当する。

◇これは【英訳ノウハウ１】と同様に一つの文章を形成しており、「もの」を訳さない訳例を考えてみます。以下のように、傾斜手段の動作を述べ、「〜とするように構成されている」と英訳することができます。

☞This inclination means is configured to …

◇【英訳ノウハウ１】と併せて、"An inclination means includes, for example, …, and is configured to …"という一つの文章を完成させることができます。「変更することにより、上記可動板及び上記日除け部材のユニットの傾斜角度を任意に調整可能となす」の訳例は【英訳ノウハウ６】で説明します。

【英訳ノウハウ３】

◆日除け部材のユニットが載置固定される可動板

◇上記和文は以下のように置き換えることができます。ここでは正確な意味を理解することが重要です。

➢ユニットが可動板の上に載置固定されている。

☞The units are placed and fixed on the movable plate.

◇まずは上記のように関係代名詞を使わない文体で記載し、これを以下のように「前置詞＋関係代名詞」の文体に転換します。

☞The movable plate on which the units are placed and fixed.

◇このように、「日除け部材のユニットが載置固定される可動板」という文章を見て「上に」という言葉を補うことが必要です。ここでは「載置」という言葉から、「上に」置かれていることは明白ですが、「ユニットが固定される可動板」という場合は、側面や底面に固定されていることもあるので、図面を見て、どこに固定されているかを確認する必要があります。

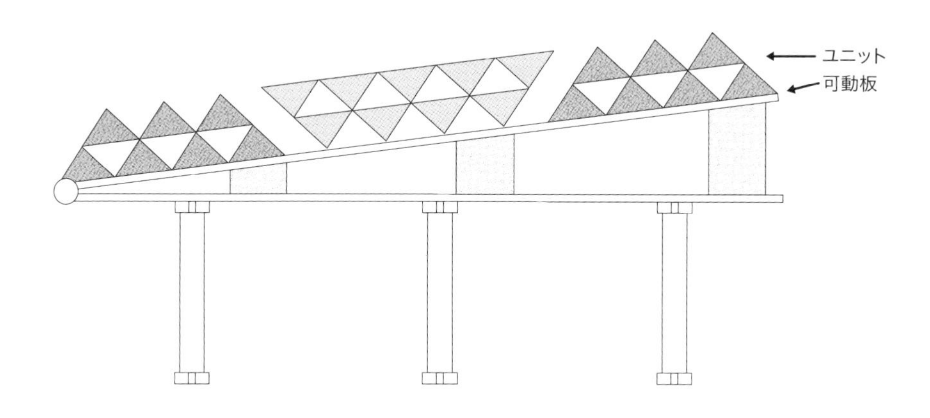

【英訳ノウハウ４】

◆傾斜角度を調整可能となす

☞make an inclination angle adjustable

◇「make＋目的語＋形容詞」で、「目的語を（形容詞の状態）にする」という意味になります。「make＋目的語＋動詞の原形」は、「目的語に（動詞の動作）をさせる」という意味を表現できます。

【英訳ノウハウ５】

◆可動板を上記基板の一端に回動自在に固定するヒンジ

◇この和文の英訳は「皆目見当がつかない」という方もいらっしゃるのではないでしょうか？　それは「固定するヒンジ」に原因があると思われます。まずは通常の文章に直してみましょう。

➢ヒンジにより、可動板を上記基板の一端に回動自在に固定する。

➢ヒンジを使って、可動板を上記基板の一端に回動自在に固定する。

☞The movable plate is fixed to one end of the base plate rotatably with a hinge.

◇これはp. 58と異なる訳例であり、“with”は手段を表し、「～を使って」の意味を表しています。ヒンジを先行詞として冒頭に出して、「前置詞＋関係代名詞」を使い、以下のように表現できます。

☞A hinge with which the movable plate is fixed to one end of the base plate rotatably.

【英訳ノウハウ6】

◆スペーサの高さを変更することにより、傾斜角度を任意に調整可能となしたもの。

◇上記和文の「変更することにより」「調整可能となしている」という２つのフレーズの関係をどのように解釈するかによって訳が異なります。「スペーサの高さを変更すること」を手段として捉えると、以下のようになります。

☞This inclination means is configured to make an inclination angle adjustable optionally by changing height of the spacer.

◇「スペーサの高さを変更する」目的は、「傾斜角度を任意に調整可能となす」ことであると捉えると、以下のようになります。

☞This inclination means is configured to change height of the spacer to make an inclination angle adjustable optionally.

【英訳ノウハウ7】

◆この傾斜手段としては、例えば、基板と、可動板と、ヒンジと、スペーサとからなる。

☞This inclination means includes, for example, a base plate, a movable plate, a hinge, and a spacer.

◇「〜からなる」は“consist of”と訳すことが多いですが、これは構成要件をすべて挙げるフレーズであるため、列挙する要素以外を排除する場合があります。そこで、なるべく可能性を広く残すため、列挙したものを一部として含むことを意味する“include”や“comprise”を使います。クレームではオープンエンドとクローズドエンドといいます〈p. 178 5. 参照〉。

（４）発明の効果

この項目には、「課題を解決するための手段」によって生じる効果が記載されています。

①発明の効果【００２３（前段）】

この発明に係る日除けにあっては、遮光面を形成する湾曲円状部材が文字通り曲線で囲まれた円形または楕円形を備えており、上下に配置された湾曲円状部材の端部間で膨らみ部分が重複する構造を備えている。

The sunshade according to this invention is configured such that each of the curved circular members forming the light shielding surfaces has a circular shape or an oval shape that is literally bordered by a curved line, and their expanded parts overlap between their respective ends of the curved circular members that are arranged vertically.

キーワード	英訳	備考
文字通り	literally	
曲線	curve, curved line	いずれも可算名詞
囲む	surround, enclose, border	borderの意味は「縁取る」
上下に	vertically	「垂直方向に」の意味
膨らみ部分	expanded part, expansion part	
重複する	overlap	

注）“overlap”は目的語の前に前置詞を伴っても伴わなくてもよい。

◆ＡとＢは互いに重複している

☞A and B overlap each other（他動詞としてのoverlap）

☞A and B overlap with each other（自動詞としてのoverlap）

◆ＡはＢに重なっている

☞A overlaps B（他動詞としてのoverlap）

☞A overlaps with B（自動詞としてのoverlap）

【英訳ノウハウ１】

◆湾曲円状部材は円形または楕円形を備えており

◇簡潔性の観点から、以下のように言い換えて英訳する必要があります。

➢湾曲円状部材は円形または楕円形である。

☞The curved circular member has a circular or an oval shape.（△）

☞The curved circular member is circular or oval.（○）

◇しかし、ここでは「曲線で囲まれた円形または楕円形を備えており」と表現されているため、円形と楕円形を名詞で表す必要があります。

☞The curved circular member has a circular or an oval shape bordered by a curved line.

【英訳ノウハウ２－１】

◆**この発明に係る日除けにあっては、～部材が楕円形を備えており、膨らみ部分が重複する構造を備えている。**

◇以下のように言い換えて英訳します。

➢この発明に係る日除けは、部材が楕円形であり、膨らみ部分が重複するように構成されている。

◇「日除け」を主語とし、「～する構造を備えている」は、「～するように構成されている」とします。以下のように"… is configured (structured) …"（～ようにされる）というフレーズを作ることができます〈p. 183 1. (3) 参照〉。

☞The sunshade according to this invention is configured such that the members are oval, and their expanded parts overlap.

◇"is configured such that"は、"configured"の主語と"such that"以下の文章の主語が異なる場合にも使います。以下でも主語が異なっていますが、"is configured such that"の構文を使うことができます。

「日除けが～構成されている」「部材が楕円形であり、膨らみが重複する」

　↑主語　↑主語　↑主語

【英訳ノウハウ２－２】

◆**この発明に係る日除けにあっては、～部材が楕円形を備えており、膨らみ部分が重複する構造を備えている。**

◇「〜にあっては」を「日除けの中では、日除けにおいては」を意味すると捉え、"in"(〜の中では)と訳すことがあります。

☞In the sunshade according to this invention, each of the members has an oval shape, and their expanded parts overlap.

◇"in"には「〜の中で、〜の内部で、〜の範囲内では」という意味があり、「日除けにおいては」の訳語として使っています。

a)欧州の領域内で ☞ in Europe

b)世界の領域内で ☞ in the world

c)箱の内部で ☞ in the box

◇「日除けにあっては」は、ここでは「日除けの内部では」「日除けの範囲内では」という意味ではなく、「本発明の日除けの場合は」という意味で使われています。したがって、別の訳例として、"in case of the sunshade according to this invention"(本発明の日除けの場合は)とすることもできますが、非常に硬い表現なので、英訳ノウハウ2－1の訳例を採用します。

【英訳ノウハウ3】

◆湾曲円状部材が … 円形または楕円形を備えており

◇湾曲円状部材の1つひとつが円形または楕円形であることを述べているため、上記和文には「各」が記載されていませんが、明確性のために"each of"を使い、以下のように英訳します。

☞each of the curved circular members has a circular shape or an oval shape

【英訳ノウハウ4】

◆文字通り曲線で囲まれた円形または楕円形

☞a circular shape or an oval shape that is literally bordered by a curved line

◇"that is bordered by a curved line literally"は関係代名詞節であり、先行詞である"a circular shape or an oval shape"を説明しています。

【英訳ノウハウ５】

◆上下に配置された湾曲円状部材

☞curved circular members arranged vertically

◇関係代名詞を使って訳すこともできます。

☞curved circular members that (which) are arranged vertically

◇あるいは、以下のように名詞の前に「副詞＋過去分詞」を置くのも一つの方法です。

☞vertically arranged curved circular members

　　↑副詞＋↑過去分詞

【英訳ノウハウ６】

◆上下に配置された湾曲円状部材の端部間

◇上記下線部の「端部」はおのおのの部材の端部を指します。「端部」の英訳で厄介なのは、日本語で「両端部」と表記していなくても両端部（both ends）を指す場合があることです。

「端部」のみで「両端部」を指すことがあるため、図面を見て、「一端」（one end）、両端（both ends）、複数の一端（ends）を明確に訳し分ける必要があります。

◇英訳で悩むのは、本明細書のように、複数の部材が登場している場面で「端部」と記載されている場合です。"ends"と訳すと、そのなかの１つの部材の「両端部」を指しているのか、複数の部材の両端部を指しているのか、複数の部材の一端部を指しているのかが不明確になります。「複数の部材のうち各部材の両端部」のような場面では、"both ends of each of"を使います。

以下のように英訳することで、複数の部材のなかの各部材の両端部であることが明確になります。

➢複数の部材のうち各部材の両端部

☞both ends of each of the members

➢複数の部材のそれぞれの両端部

☞respective both ends of the members

② 発明の効果【００２３（後段）】

> このため、直線で囲まれた従来の日除け部材の遮光面に比べて、時刻や季節のズレに対する遮光性能の低下を有効に緩和することが可能となる。
>
> This can alleviate a decrease in light shielding performance due to changes in time and season more effectively than light shielding surfaces of conventional sunshade members that are bordered by linear lines.

キーワード	英訳	備考
直線の	linear	
従来の	conventional, traditional, prior	
時刻	time and date, time	「時刻」という意味の場合は不可算名詞
季節	season	可算名詞
ズレ	deviation	「逸脱」という意味の場合は不可算名詞（具体的な場合は可算名詞）
このため	For this reason, That's why	
低下	decrease（低下）, reduction（減少）	いずれも不可算名詞、具体的な低下の場合は可算名詞（Weblio辞書）
有効に	effectively, efficiently	
緩和する	alleviate, mitigate, moderate	
～ことが可能となる	make it possible to …	このフレーズはほかにも数多く存在する〈p. 193 1. (17) 参照〉

注）「時刻」について、ここでは一日のうちの「時刻」を指すため"time"と訳すが、年月日が関係する場合は、"time and date"と訳したほうがよい。

注）「ズレ」について、ここでは「時刻や季節が反れる」という意味ではなく、時刻や季節の「変化」を意味するため、"change"を使う。

注）「このため」で始まる文章は、前の文章がその理由に該当し、「それゆえに～」として理由による結果を述べる。「それゆえに」に当たるのが“For this reason, That's why”である〈p.211 2.(14)参照〉。「それゆえに」を意味する単語には“Therefore, Hence, Thus”もあるが、この場面では、以下【英訳ノウハウ１】に記載する理由により、“For this reason, That's why”などとは訳さず、別の単語を使っている。

【英訳ノウハウ１】

◇【００２３（後段）】は「このため」から始まっているので、以下に前段を再掲します。

◆この発明に係る日除けにあっては、遮光面を形成する湾曲円状部材が文字通り曲線で囲まれた円形または楕円形を備えており、上下に配置された湾曲円状部材の端部間で膨らみ部分が重複する構造を備えている。

◇上記前段を受け、後段は「このため、…可能となる」となっていますが、「このため」の内容は、上記文章の全体ということになります。「このため」をそのまま訳さず、“this”という１ワードのみで置き換えるのが簡潔であるため、適訳です。

「このため」にはなるべく“for this reason”や“that's why”などの長いフレーズを使わない工夫が必要です。以下にそのノウハウを紹介します。

【英訳ノウハウ２】

◇もし、「このため」で改行されておらず、同じ段落である場合は、前の文章を先行詞とする関係代名詞を使う方法があります〈p.220 5.(1)参照〉。

☞The sunshade according to this invention is configured such that … , which can alleviate a decrease in …

◇また、分詞構文“thus making it possible to”を使う方法もあります。

☞The sunshade according to this invention is configured such that … , thus making it possible to alleviate a decrease in …

注）上記の“thus making it possible to”は「結果」を表すフレーズ。

【英訳ノウハウ３】

◆～に比べて

☞compared to, in comparison with, rather than, as opposed to, in contrast with, than

◇「～に比べて」は「～とは対照的に」と言い換えられます。こうしたフレーズは数多くありますが、“as opposed to”や“in comparison with”は、対照的なものと比較する場合に使用するため、使える場面は限られています。

ａ)men as opposed to women

ｂ)men in contrast with women

◇「(この発明は)直線で囲まれた従来の日除け部材の遮光面に比べて」という場面では、「比べて」が対照的とは限らないため、“compared to”や“in comparison with”を使用することが適切です。

「～に比べて」の訳語は数多く存在しますが、比較級で表現できるときに、“…比較級 than …”のフレーズを使うべきです。このほうが「～より～のほうが～もっと～である」という意味が明確に伝わるからです〈p. 224 7. (1) 参照〉。副詞や形容詞が使われているときは、なるべく比較級の形にして英訳することをお勧めします。その典型が本明細書の【００２３(後段)】の文章です。あるいは「～に比べて」の表現を生かして“compared to …”と訳してもよいです〈p. 227 7. (3) 参照〉。

【英訳ノウハウ４】

◆直線で囲まれた従来の日除け部材の遮光面に比べて、時刻や季節のズレに対する遮光性能の低下を有効に緩和することが可能となる

◇上記和文では、従来の遮光面の何と比較し、何が優れているのかを見極めないと正しい英訳はできません。従来よりも優っているのは「遮光性能の低下を有効に緩和することができる」点であり、「有効に緩和する」点がポイントです。以下のように「より」という言葉を補うだけで英訳しやすくなります。

➢直線で囲まれた従来の日除け部材の遮光面に比べて、時刻や季節のズレに対する遮光性能の低下をより有効に緩和することが可能となる

☞alleviate a decrease in light shielding performance more effectively

【英訳ノウハウ5】

◆時刻や季節のズレに対する遮光性能の低下

◇ポイントは「～に対する」の英訳です。ここでは、「原因、理由、由来」を表す熟語を用います。“due to, resulting from, because of, derived from, thanks to”など数多く存在します。なお、“thanks to”はネガティブな結果が生じる場合にも使うので、ここでも使うことができます。

➢天候変化による性能低下

☞a decrease in performance due to (resulting from, because of, derived from) changes in weather

◇さらに、「結果」を先行詞として関係代名詞を使うこともできます。

☞a decrease in performance which results from changes in weather

注）簡潔性の観点から関係代名詞を使わずに表現すべきである。

【英訳ノウハウ6】

◇「緩和する」には多くの訳語があり、どの訳語を選択するかは、それぞれの場面に応じて選択する必要があります。以下に「Cambridge Dictionary」の検索結果を紹介します。

キーワード	意味・用途	著者訳
mitigate	to make something less harmful, unpleasant, or bad	何かの害を少なくする、不快さを軽減する、悪い状態を緩和する
moderate	to (cause to) become less in size, strength, or force; to reduce something	大きさ、強さ、力が小さくなる（小さくする）、何かを減少させる
lessen	to become or make something smaller in amount or degree	何かの量または程度を少なくする
alleviate	to make something bad such as pain or problems less severe	痛みや問題など、何か悪いことを軽減する

MOMOcolumn

「翻訳する上で便利なツール」

プロの翻訳者も機械検索を活用しています。とはいえ、機械翻訳にかけても、人間による手直しや最終チェックは必須です。例えば、機械翻訳では「クレーム1は進歩性がない」と入力すると“Claim 1 has no inventive step.”と訳しますが、特許の知識を持った方が「クレーム1に記載の発明は進歩性がない」と和文を補わなければ正確な英訳にはなりません。

ということで、以下にオススメのツールやそれぞれの特徴などを紹介します。

1．翻訳サイト

① DeepL®翻訳 https://www.deepl.com/translator

DeepL GmbH（ドイツ）の翻訳サイトです。ディープラーニングを使った高品質な翻訳が得られます。ファイルをアップロードして翻訳することもできます。

・ユーザー登録することなく手軽にサイトに文章をペーストして使える。

・無料版は5000文字まで。文字数制限のない有料版（DeepL®Pro）もある。

・訳文を自分なりにカスタマイズできる。

・「こなれた英語」に翻訳してくれるところが魅力的。

② みらい翻訳® https://miraitranslate.com

「TOEIC®960点〜プロ翻訳者レベルの翻訳精度」というのがアピールポイント。国際規格（ISO27001、27017）を取得したAI自動翻訳です。まずはサイトで「お試し翻訳」を行ってみましょう。

③ みんなの自動翻訳@TexTra® https://mt auto minhon mlt.ucri. jgn x. jp

国立研究開発法人情報通信研究機構のニューラル機械翻訳（NMT）による、高精度自動翻訳エンジンです。インストールすることなく無料で使えます。

「翻訳エディタ」を活用することで、サイトをそのまま翻訳できます。特許、論文、マニュアルにも最適です。

2．ネイティブチェックサイト

① GINGER® https://www.getginger.jp

スペルチェック、文法チェック、リフレーズも行ってくれます。

② Grammerly® https://app.grammarly.com

無料版であってもスペルチェック、文法チェック、パンクチュエーションのチェックを行ってくれます。

3．その他のお勧めサイト

① WIPOのWebサイトの翻訳機能 https://www.wipo.int/wipo translate/en

同サイトの「TRANSLTE 機能」では、日本語を直接入力して翻訳できます。

② 日本法令外国語訳データベースシステム（法務省）

http://www.japaneselawtranslation.go.jp/?re=01

特許法を含め、多くの法令の条文の訳文が掲載されています。拒絶理由を翻訳する際には条文翻訳が欠かせず、このサイトが有効です。

※本書にも登場する各ツールのサイトについて、以下にまとめて紹介します。

- **英辞郎 on the WEB** https://eow.alc.co.jp
- **Cambridge Dictionary** https://dictionary.cambridge.org/ja
- **Merriam Webster** https://www.merriam webster.com
- **QQE 英語コラム** https://www.qqeng.com/blog2/study/difference inorderto soasto.html
- **Weblio 英和辞典・和英辞典** https:https://ejje.weblio.
- **J-PlatPat** https://www.j-platpat.inpit.go.jp
- 国内移行期限については 、WIPO のサイトで検索可能です。
  http://www.wipo.int/pct/en/texts/time_limits.html

※医療の「セカンド・オピニオン」のように、複数のツールで同じフレーズを機械翻訳してみることも重要です 。

第2章
実施形態・図面の簡単な説明を英訳する

Translate Embodiments / Brief Description of Drawings into English

日除けを構成する部材や組み立て手順について、図面を参照しながら説明していきます。

第２章でも【英訳ノウハウ】を詳述していきますが、以下のように記号を付して内容を整理しています。

◆：明細書に記載されている和文（キーフレーズ）
➢：キーフレーズの言い換え（リフレーズ）などの和文
☞：英文の訳例
◇：著者のコメントや解説

1. 実施形態とは
What are Embodiments?

「発明を実施するための最良の形態」というタイトルを付して、発明の具体的な実施方法を記載する項目です。「課題を解決するための手段」は、抽象的な表現が多く、発明を具体的に捉えることができません。

そこで、実施形態では発明の具体的な構成を述べるとともに、以下の内容を記載します。

a）この発明をどのように製造するか、組み立てるか

b）この発明をどのように使用するか

c）この発明はどのような効果を奏するか

この日除け発明の明細書では、日除けを構成する部材の説明、それらの組み立て手順、完成した日除けの日除け性能などが記載されています。図面を参照しながら説明するのが通常です。以下に本発明の実施形態の概要を説明し、その後に必要な箇所のみを訳していきます。

(1) 日除け部材

① 日除けの最小単位

楕円形の板材を複数組み合わせた右図の部材52が日除けの最小単位です。凸面51が同一方向を向いていることが特徴です。この方向のそろった凸面51または凹面56が遮光面として機能します。

一対の部材の間に隙間αが生じ、これにより通気性が保たれ、隙間αは遮光面により遮光されます。

特開2019-218815【図１】

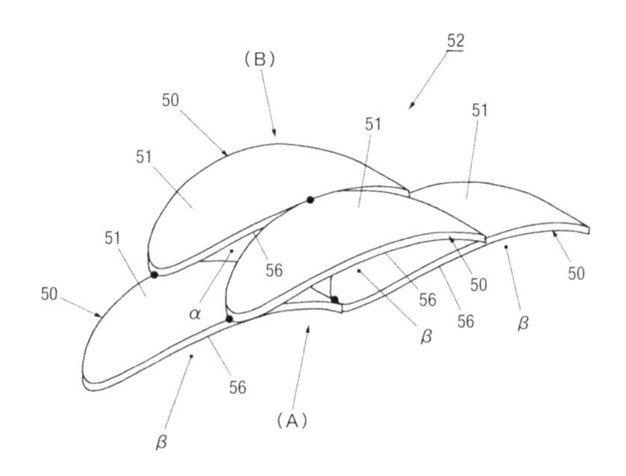

② 日除けブロックを組み合わせ

①の日除け部材(最小単位)を下のように４つ組み合わせることによって、中規模ブロックとなります。

特開2019-218815【図４】

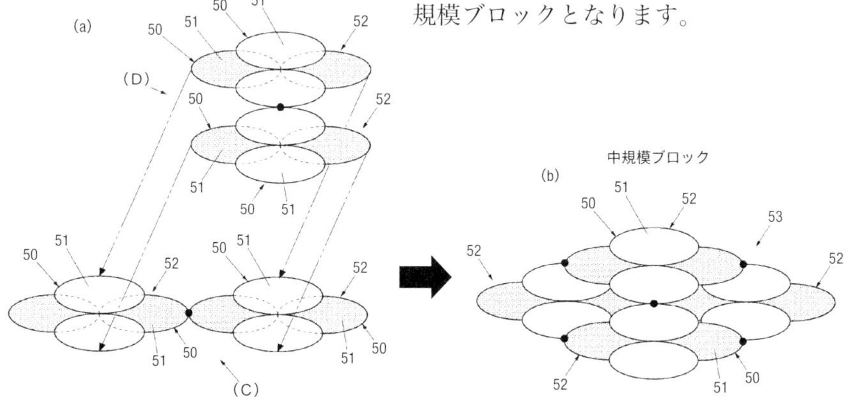

上記の中規模ブロックを以下のように４つ組み合わせると、大規模ブロックとなります。この４つの端部には穴付き突起55が取り付けられています。

これは枠材に組み付ける際にビスを通す穴となります。

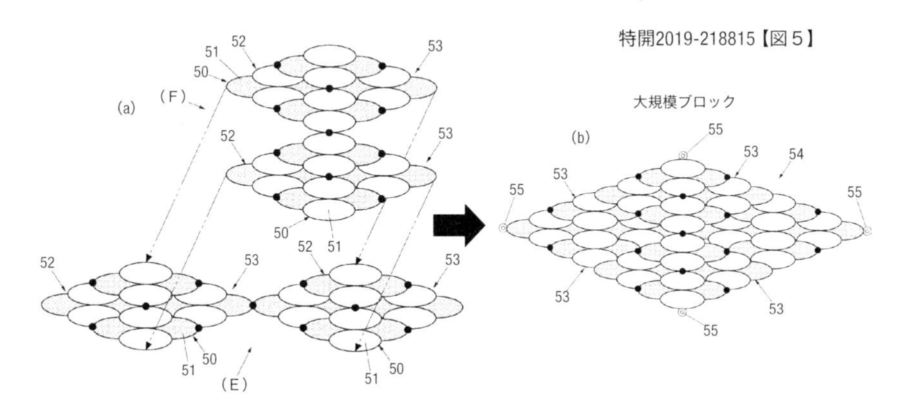

特開2019-218815【図５】

（２）日除けユニット

（１）の大規模ブロックを複数、枠材に組み付けることにより、日除けユニットが完成します。正面を向く枠材に日除けブロックを取り付けた正置ユニットと、ブロックを裏返した状態で取り付けた倒置ユニットがあります。

① 正置ユニット

特開2019-218815【図11】

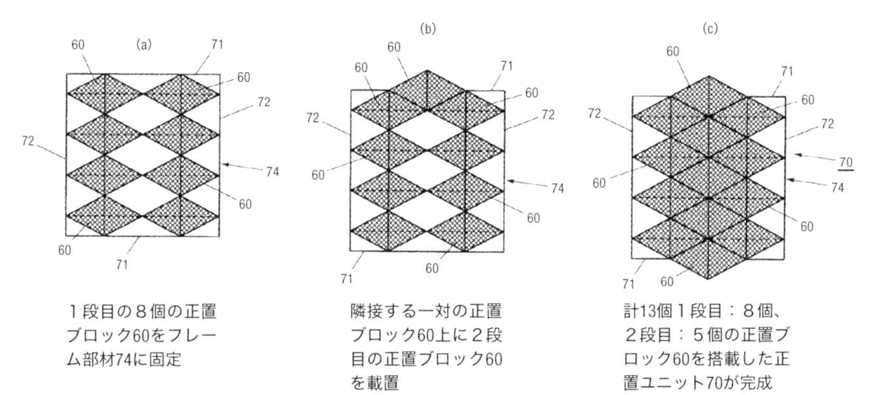

② 倒置ユニット

倒置ブロックも同様に、１段目の上に２段目を重ねていきます。結果として、以下の図のように計17個（１段目：８個、２段目：９個）の倒置ユニットが完成します。

特開2019-218815【図13】

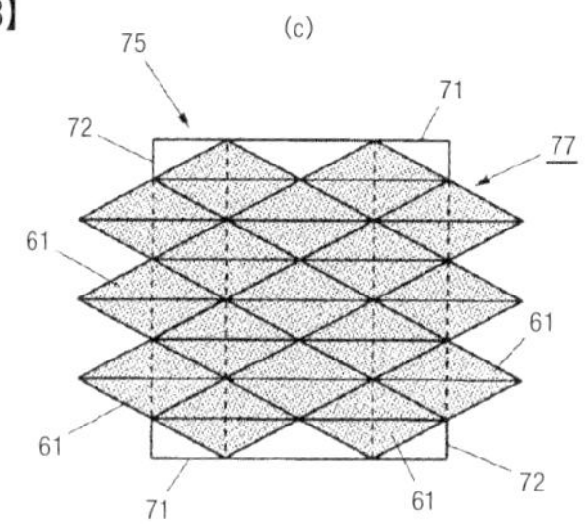

特開2019-218815【図15】

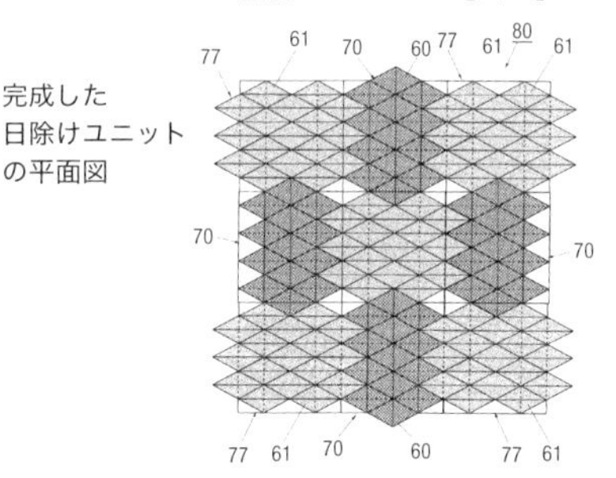

③ 正置ユニットと倒置ユニットを互い違いに配置

両ユニットを前後左右方向に互い違いに配置することによって、隙間の少ない遮光面を形成することができる。

④ 基礎フレームに日除けを載置

下図のように、日除け80を基礎フレーム上に載置します。

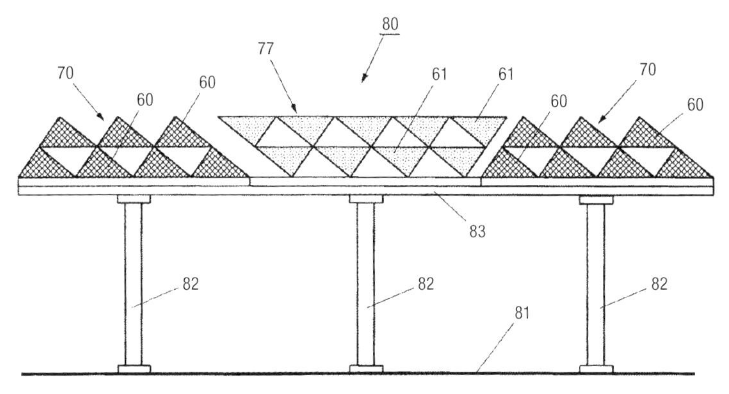

特開2019-218815【図14】

MOMOcolumn

「機械翻訳活用術」

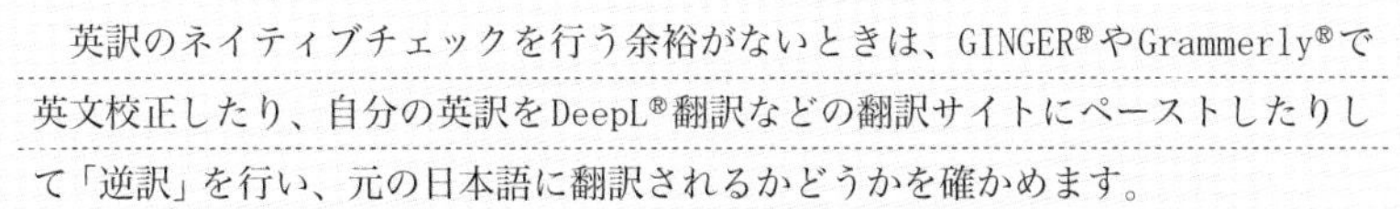

英訳のネイティブチェックを行う余裕がないときは、GINGER®やGrammerly®で英文校正したり、自分の英訳をDeepL®翻訳などの翻訳サイトにペーストしたりして「逆訳」を行い、元の日本語に翻訳されるかどうかを確かめます。

また、長文を英訳する場合でも、そのまま機械翻訳に貼り付けるのではなく、フレーズごとに主語を変えたり、単語だけを機械翻訳したりするのがコツです。

なお、翻訳会社から提供されるツール以外の使用を禁止されることがあります。その場合、辞書引き、あるいは時制を調べるために機械翻訳を使います。

いずれにせよ、機械翻訳をうまく活用して作業効率を高めるのが得策だと思います。

2. 実施形態を英訳する
Translate Embodiments into English

(1) 日除け部材から日除けブロック作成

日除け部材(最小単位)を組み合わせて、中規模・大規模ブロックを作成するまでの工程(前半の工程)を説明しています。

① 実施形態【0024】

この発明に係る日除けは、図1～図3に示すように、楕円形の板材を短軸(短径)を中心に湾曲させた湾曲円状部材50を、複数組み合わせることによって構成される。各湾曲円状部材50の凸面51は、同一の方向を向くようにそろえられている。

A sunshade according to this invention is configured by combining a plurality of curved circular members 50, each of which is formed by curving an oval plate material around its short axis (short diameter) as illustrated in Figures 1 to 3. Respective convex surfaces 51 of the curved circular members 50 are aligned so as to face the same direction.

キーワード	英訳	備考
短軸	short axis	可算名詞(複数形はaxes)
短径	short diameter	
同一の方向	the same direction	通常はtheを伴う
向く	is (are) orien(ta)ted, face	
そろえる	align, arrange	いずれも自動詞であり他動詞

注)「軸」の訳語には“axis”や“shaft”があるが、“axis”は「中心線、中枢」を、“shaft”は「心棒」を意味する。つまり、“axis”は中心線や中心的存在であり、“shaft”は機械の軸など実際の軸を表す。

注)“orient”は自動詞であり他動詞であるが、自動詞のときは「東に向く」という意味のみを有する(“orientate”は他動詞のみ)。「同一の方向を向く」という場合は、“is(are) oriented in the same direction”(同一の方向に向けられる)のように他動詞としての“orient”を受動態にする必要がある。

注)“face”は自動詞でもあるため、「同一の方向を向く」の意味を表現するには、“… face the same direction”とする。

【英訳ノウハウ1】

◆~を中心に湾曲させた湾曲円状部材

◇上記和文の下線部は、以下のように言葉を補うと英訳しやすくなります。

➢~を中心に湾曲させることにより構成される湾曲円状部材

☞a curved circular member formed by curving … around …

【英訳ノウハウ2】

◆凸面51は、同一の方向を向くようにそろえられている。

☞Convex surfaces 51 are aligned so as to face the same direction.

【英訳ノウハウ3】

◆各湾曲円状部材50の凸面51

◇上記和文では「各」が「湾曲円状部材」に付いていますが、英訳するときはこれを「凸面」に付します。湾曲円状部材は複数存在し、おのおのの凸面を指しているからです。

そうすると、複数の名詞の「おのおの」を指す英単語“respective”を使うことができます〈p. 183 1. (4) 参照〉。

➢湾曲円状部材50の各凸面51

☞Respective convex surfaces 51 of the curved circular members 50

DeepL®翻訳:湾曲円状部材50の各凸面51

☞Each convex surface 51 of the curved circular members 50

【英訳ノウハウ４】

◆湾曲させた湾曲円状部材を、複数組み合わせる

◇以下のように言い換えると英訳しやすくなります。

➢湾曲させて構成した各湾曲円状部材が、複数組み合わさっている

➢おのおのを湾曲させて構成した湾曲円状部材を複数組み合わせる

☞combining a plurality of curved circular members, each of which is formed by curving …

◇湾曲しているのは各部材なので、"each of which is formed …"とします。

英訳では「１つひとつ湾曲した部材を複数組み合わせる」とする必要があります。",each of which"は関係代名詞の非限定用法です〈p. 221 5. (2) 参照〉。なお、「湾曲円状部材を、複数組み合わせる」は、複数を強調したいだけなので、「複数の湾曲円状部材を組み合わせる」で十分です〈p. 182 1. (2) 参照〉。

② 実施形態【００２５】

図１に示すように、一対の湾曲円状部材50の長軸端部同士を接合した(A)の上に、一対の湾曲円状部材50の短軸端部同士を接合した(B)を配置し、上に配置された各湾曲円状部材50の長軸両端部を、下に配置された各湾曲円状部材50の短軸両端部付近に接合したもの、すなわち４枚の湾曲円状部材50を立体的に結合させたものが、基本構成ブロック52となる。

As illustrated in Fig. 1, (B) formed by bonding one end of each of the short axes of a pair of the curved circular members 50 to each other is arranged on (A) formed by bonding one end of each of the long axes of a pair of the curved circular members 50 to each other. Both ends of the long axis of each of the curved circular members 50 that are arranged on the upper side are bonded near both ends of the short axis of each of the curved circular members 50 that are arranged on the lower side. Namely four of the curved circular members 50 are combined three-dimensionally, forming a basic component block 52.

キーワード	英訳	備考
一対の	a pair	p. 187 1. (10) 参照
長軸	long axis	複数形はlong axes
～の上に	above, on, over	onは接しているときに使われる
両端部	both ends	
～付近	near …, in the vicinity of …, in the proximity of …	
立体的に	three-dimensionally	
接合する	bond, join, bind	bondとbindの違いはp. 203 2. (5) 参照
基本構成ブロック	basic component block basic constituent block	「基本＋構成＋ブロック」の各単語を組み合わせ、訳語を創作

【英訳ノウハウ１】

◆一対の湾曲円状部材50の長軸端部同士を接合した（A）

☞(A) formed by bonding one end of each of the long axes of a pair of the curved circular members 50 to each other

◇長軸は右図のように２本存在します。「端部同士」は一対の部材50の一端を指しているため、"one end"としますが、以下の訳でもよいです。

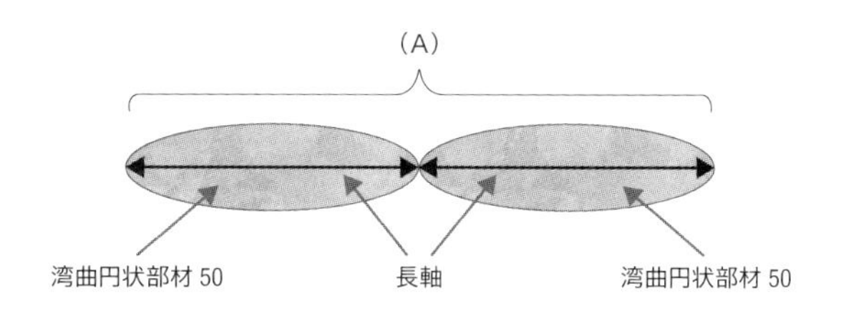

☞mutually bonding one end of each of the long axes …

◆一対の湾曲円状部材50の短軸端部同士を接合した（B）

☞(B) formed by bonding one end of each of the short axes of a pair of the curved circular members 50 to each other

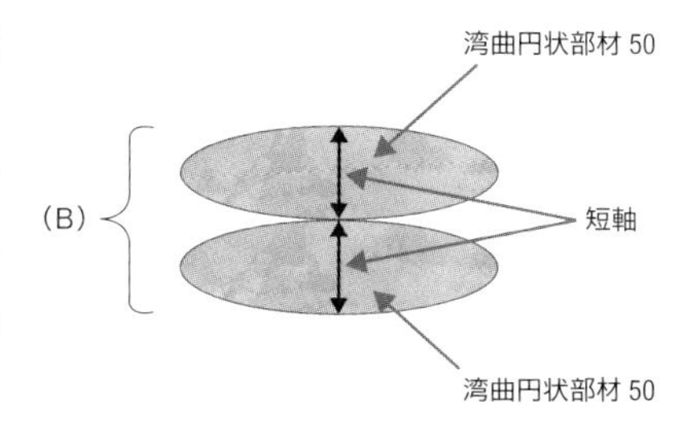

◆（A）の上に（B）を配置し、上に配置された各湾曲円状部材50 …

◇「上に配置された」は、「（B）が（A）の上に配置されている」という場合の「上に」とは意味が異なります。

下図からも分かるように、「上側に配置されている」という意味であるため、“on the upper side”と訳します。

【英訳ノウハウ２】

◆上に配置された各湾曲円状部材50の長軸両端部

☞both ends of the long axis of each of the curved circular members 50 that are arranged on the upper side

◇「長軸両端部」とは、上に配置されている２つの湾曲円状部材50の各部材の長軸両端部を指しています。「各」は“respective”ではなく、“each”と訳したほうが、１つひとつの部材の長軸であることが明確になります。

特開2019-218815【図１】

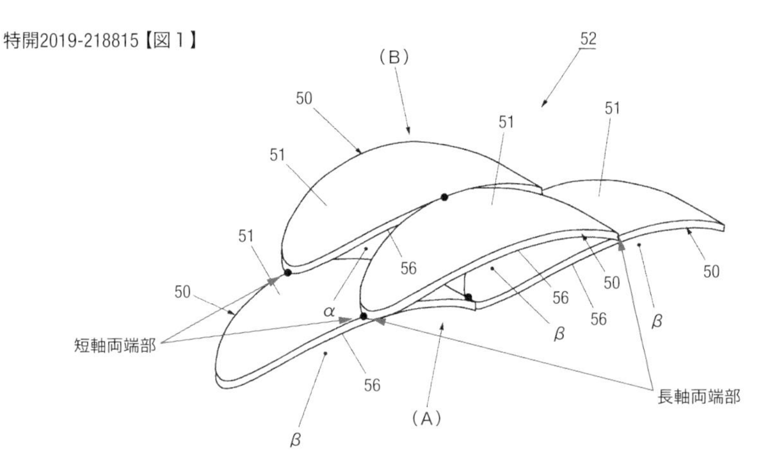

◆（A）の上に（B）を配置し、部材50の長軸両端部を、部材 50の短軸両端部付近に接合したもの、すなわち４枚の部材50を立体的に結合させたものが、基本構成ブロック52となる。

➢（A）の上に（B）を配置する。部材50の長軸両端部を、部材50の短軸両端部付近に接合する。すなわち、４枚の部材50を立体的に結合させ、基本構成ブロック52を形成する。

☞(B) is arranged on (A). Both ends of the long axis of the member 50 are bonded near both ends of the short axis of the member 50. Namely four of the members 50 are combined three-dimensionally, forming a basic component block 52.

◇長い文章を区切って訳します。"forming"は分詞構文〈p. 228 8. (1) 参照〉。

③ 実施形態【００２６】

この基本構成ブロック52が、日除けを構成するための最小単位である「日除け部材」となる。 This basic component block 52 is a "sunshade member" which is a minimum unit for configuring the sunshade.

注)「最小単位」は"minimum unit"と訳す(unitは可算名詞)。

【英訳ノウハウ１】

◆この基本構成ブロック52が、「日除け部材」となる。

➢この基本構成ブロック52が、「日除け部材」である。

☞This basic component block 52 is a "sunshade member".

◇「〜となる」は、「〜は〜の最小構成単位である」とすれば十分です。基本構成ブロック52が成長して日除け部材になるわけではないからです。

【英訳ノウハウ２】

◆最小単位である「日除け部材」

☞a sunshade member which is a minimum unit

☞a sunshade member as a minimum unit

☞a sunshade member namely a minimum unit

☞a sunshade member : a minimum unit

◇以上、４つの訳例を挙げましたが、４つ目のコロン(:)は「すなわち」を意味します。

④ 実施形態【００２７（前段）】

各基本構成ブロック52に含まれる湾曲円状部材50の凸面51または凹面56が、日除けの遮光面として機能することとなる。

The convex surface 51 or a concave surface 56 of the curved circular member 50 contained in each of the basic component blocks 52 functions as a light shielding surface of the sunshade.

キーワード	英訳	備考
～として機能する	function as …, serve as …	functionは自動詞のみ serve as …の意味は「～として役立つ」 （serveは自動詞であり他動詞）

注）初出は「実施形態」の項目であらためて判断し、“The convex surface 51 or a concave surface 56”と表記している。

【英訳ノウハウ１】

◆各基本構成ブロック52に含まれる湾曲円状部材50の凸面51または凹面56

☞The convex surface 51 or a concave surface 56 of the curved circular member 50 contained in each of the basic component blocks 52

◇「各基本構成ブロック」の「各」は、複数の基本構成ブロックの１つひとつを指しているので、“each”と訳します〈p. 183　1. (4) 参照〉。

「含まれる」は右図からも分かるとおり、湾曲円状部材50は基本構成ブロック52の中身であるため、“contain”を使います〈p. 201　2. (3) 参照〉。

特開2019-218815【図２】

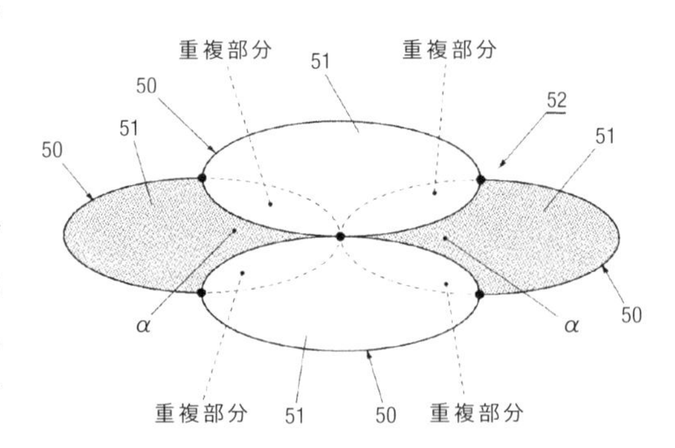

【英訳ノウハウ２】

◆凹面56が、日除けの遮光面として機能することとなる。

☞a concave surface 56 functions as a light shielding surface.

◇「こととなる」を訳す必要はありません。前の文章を受けて、「その結果、〜として機能することとなる」という結果を述べる意図で、この表現がとられています。

⑤ 実施形態【００２７（中段）】

> 図２に示すように、上側に配置された一対の湾曲円状部材50間には隙間αが生じているが、平面から観察した際には下側に配置された湾曲円状部材50の凸面51によって隙間αが遮蔽される形となる。
>
> As illustrated in Fig. 2, a gap α occurs between the pair of the curved circular members 50 that are arranged on the upper side, however, when observed from a plane, the gap α is shielded by the convex surface 51 of the curved circular member 50 that is arranged on the lower side.

キーワード	英訳	備考
平面	plane, plain surface, planar surface	planeは可算名詞。plainの名詞は「平原」、形容詞は「明白な、無地の、単純な」などを意味する
遮蔽する	shield, block	

【英訳ノウハウ１】

◆一対の湾曲円状部材50間

◇右図のように、一対になっている２枚の部材の間を指しています。

☞between a pair of curved circular members 50

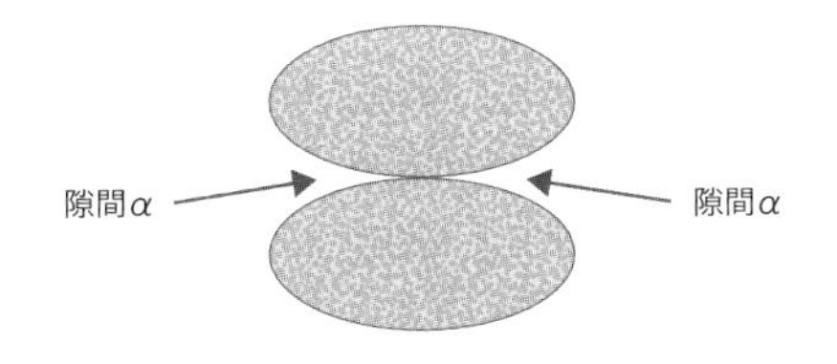

【英訳ノウハウ２】

◆隙間が生じる

☞a gap occurs

◇自動詞“occur”で「隙間」を主語とした「生じる」動作を表現します。前ページの図を見ると、隙間αは実際には２つであることが分かります。

【英訳ノウハウ３】

◆平面から観察した際には

☞when observed from the (a) plane

◇「平面から観察すると」を意味する言葉として「平面視で」〈in (a)(the) plan view, in (a)(the) planar view, in a (the) plain view〉があり、平面図（平面に直交する方向から見ること）を指します。

【英訳ノウハウ４】

◆平面から観察した際、… が遮蔽される形となる

◇以下のように言い換えの例を２つ挙げます。

➢平面から観察すると、… が遮蔽されている

☞when observed from a plane, … is shielded

➢平面から観察すると、～が遮蔽されているように見える

☞when observed from a plane, … appears to be shielded

⑥ 実施形態【００２７（後段）】

また、図３に示すように、上側に配置された湾曲円状部材50と下側に配置された湾曲円状部材50との間には、湾曲に由来する隙間βが存在している。

As illustrated in Fig. 3, a gap β derived from curves exists between the curved circular member 50 that is arranged on the upper side and the curved circular members 50 that are arranged on the lower side.

キーワード	英訳	備考
湾曲	curve, bend	いずれも可算名詞
～に由来する	derived from, originated (originating) from, resulting from, coming from	
存在している	exist, is (are) present, there is, there exist(s)	existは「存在する」という自動詞、状態動詞 presentは「存在している」という形容詞

【英訳ノウハウ1】

◆上側に配置された湾曲円状部材50と下側に配置された湾曲円状部材50との間

☞between the curved circular member 50 that is arranged on the upper side and the curved circular members 50 that are arranged on the lower side

◇下図からも分かるように、上側湾曲は1つ(単数)、下側湾曲は2つ(複数)となります。

特開2019-218815【図3】

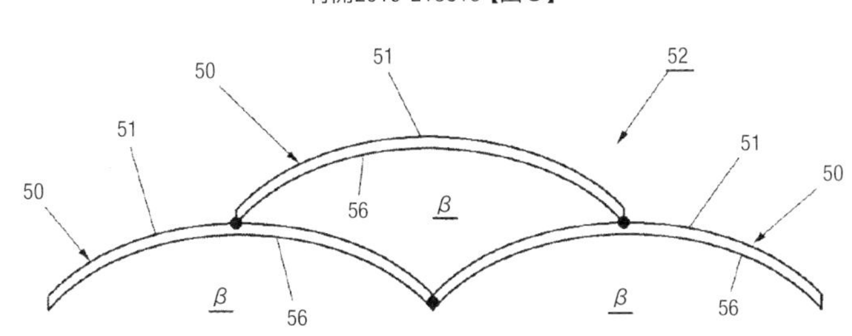

【英訳ノウハウ2】

◆～の間に隙間βが存在している

☞A gap β occurs between …

◇上図では3つのβが生じる場合が描かれていますが、上側部材50と下側部材50により生じるβは1つであるため、“a gap β”と訳します。

⑦ 実施形態【００２８】

湾曲円状部材50の材質については特に限定はなく、合成樹脂やアルミニウム等の金属、木材等より形成される。

The curved circular member 50 may be made of any material such as synthetic resin, metals including aluminum, or wood.

キーワード	英訳	備考
材質	quality of material	
限定する	limit, restrict	
～については特に限定はない	… is not especially limited … is not specifically limited	
合成樹脂	synthetic resins	
アルミニウム	aluminum	
金属	metal	不可算名詞（複数種類の金属はmetals）
木材	wood	不可算名詞（複数種類の木材はwoods）
等	etc., and so forth, and so on, and the like, or the like	p. 189 1. (13) 参照
～より形成される	formed from …, made of …, made from …	formed fromやmade ofは元の材料が変わっていない場合であり、元の材料から加工されている場合はmade from

【英訳ノウハウ】

◆部材50の材質については特に限定はなく、木材等より形成される。

➢部材50はいかなる材料から形成されてもよく、木材等より形成される。

☞The member 50 may be made of any material such as … wood.

◇「部材の材質は特に限定はなく」を「部材はいかなる材料から形成されてもよい」と言い換え、「木材等により形成される」の主語とそろえて簡潔にします。

⑧ 実施形態【０ ０ ２ ９】

各湾曲円状部材50の接合方法についても特に限定はなく、材質に応じて接着や溶接等を選択できる。

Methods of bonding the curved circular members 50 are not especially limited and adhesion or welding, etc. may be chosen depending on the material.

キーワード	英訳	備考
〜の接合方法	a method of bonding (joining) …	
接着	glueing, adhesion, bonding, cementing	
溶接	welding	
〜に応じて	in accordance with …, depending on …	

注)「各湾曲円状部材50」といっても、「(複数の)湾曲円状部材」を意味しているため、「各」は訳していない。単に複数形を用いれば足りる。

注)「接着や溶接等」の「や」は“and”ではなく“or”と訳す。“and”と訳した場合、「接着」と「溶接」の双方をセットで選択するという誤解を与えてしまう可能性があるため。

【英訳ノウハウ】

◆材質に応じて接着や溶接等を選択できる。

☞may be chosen depending (up)on the material.

◇材質によって接合方法を選択するため、“depending (up)on”を使います。“change depending upon weather conditions”(天候条件に応じて)のように“depending upon”の後には変化するものが置かれます。“in accordance with”の後には“rule (standard)”(規則／規格)等が置かれ、「〜に従って」を意味します。

⑨ 実施形態【００３０(前段)】

遮光面を楕円形状にする場合は、長軸：短軸＝２：１から１：１(円)の範囲が好ましく、３：２がより好ましい。

If the light shielding surface is oval, the ratio of long axis to short axis is preferably between 2:1 and 1:1 (a circle), and is more preferably 3:2.

キーワード	英訳	備考
範囲	range, scope	rangeは「～に及ぶ」という動詞でもあり、「～の範囲にわたる」は、from … to …, between … and … と表現することもできる
好ましい	preferable, desirable	
より好ましい	more preferable (desirable)	

【英訳ノウハウ１】

◆遮光面を楕円形状にする場合

☞If the light shielding surface is formed into an oval shape

◇誰が楕円形状にするか表現されておらず、「楕円形状である」と表現します。

➢遮光面が楕円形状である場合

☞If the light shielding surface is oval

【英訳ノウハウ２】

◆長軸：短軸＝２：１から１：１(円)の範囲

☞the ratio of long axis to short axis is from 2:1 to 1:1

☞the ratio of long axis to short axis ranges from 2:1 to 1:1

☞the ratio of long axis to short axis is between 2:1 and 1:1

注)“from … to …, between”が両端を含むか否かはp. 197 1. (21)を参照。

◇「AとBの比率」は、“a ratio of A to B”と表現します。

◆～の範囲が好ましく、～がより好ましい

◇「範囲が～にわたる」「範囲が～である」という二通りの表現があります。

☞preferably range from … to …, more preferably range from … to …,

☞is preferably from … to …, more preferably from … to …

⑩ 実施形態【００３０（中段）】

太陽は東から西へ移動するので、長軸を東西方向にして設置すると地面の遮光面積が大きくなる。

As the sun travels from east to west, installing the curved circular members 50 with their respective long axes orientated in the east-west direction makes the light shielding area of the ground larger.

キーワード	英訳	備考
太陽	the sun	
東、西	east, west	東西方向 east-west direction
移動する	travel, move, transfer	
設置する	set, install, place	
～するので	as…, because …, since…	

【英訳ノウハウ１】

◆長軸を東西方向に向けて設置する

◇上記は「長軸を東西方向に向けた状態で、(湾曲円状部材50を)設置する」という意味です。

このとき、「～した状態で」は、「with＋名詞＋過去分詞」です〈p. 194 1. (19) 参照〉。

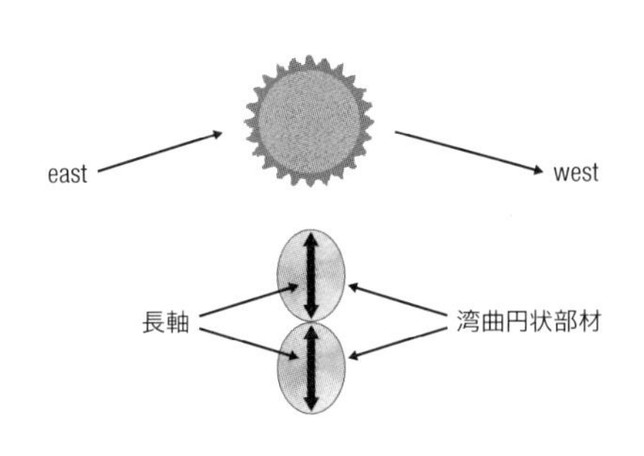

☞with the long axis orientated in an east-west direction

【英訳ノウハウ２】

◆～を設置すると地面の遮光面積が大きくなる

◇「設置する」を主語として「make＋目的語＋larger」と表現します。

➢～を設置することにより、地面の遮光面積を大きくする。

☞Installing … makes the light shielding area of the ground larger.

◇「設置する」を主語として「面積を増やす」と表現します。

➢～を設置することにより、地面の遮光面積を増加させる。

☞Installing … increases the light shielding area of the ground.

⑪ 実施形態【００３０（後段）】

長軸が大きすぎると遮光面同士の南北方向の重なりが少なくなり、季節が変わり太陽高度が変わったときに直射日光が入りやすくなる。

The excessively large long axes make the overlap of the light shielding surfaces in the north-south direction smaller, which permits the direct sunlight to easily enter when the season and the sun's altitude changes.

キーワード	英訳	備考
大きすぎる	too big, excessively large	
重なり	overlap	
少なくなる	become smaller, is (are) smaller	
太陽高度	sun altitude, sun's altitude, sun elevation, sun's elevation	
直射日光	direct sunlight	sunlightは不可算名詞

【英訳ノウハウ】

◆長軸が大きすぎると、遮光面の重なりが少なくなり、直射日光が入りやすくなる。

◇「大きすぎる場合」と表現することも可能ですが、次のように訳してみます。

➢大きすぎる長軸は、遮光面の重なりを少なくして、直射日光が容易に入ることを許す。

☞The excessively large long axes make the overlap of the light shielding surfaces smaller, which permits the direct sunlight to easily enter.

◇「大きすぎる長軸」を主語、「重なりを少なくする」を述語とし、この文章全体を先行詞とする関係代名詞により、「直射日光の容易な入射を許す」と表現しています。「許す」は、“allow”などでも構いません〈p. 193 1. (17) 参照〉。

注)「直射日光が入る／direct sunlight enter」の “enter”は自動詞である。

⑫ 実施形態【００３１(前段)】

遮光面の湾曲形状は、長軸方向の直線長さと、中央部の高さの比が２：１～４：１が好適で３：１がより好ましい。

The curved shape of the light shielding surface has the ratio of length of a straight line in the long axis direction to the height of the central part of preferably between 2:1 and 4:1, and more preferably 3:1.

キーワード	英訳	備考
湾曲形状	curved shape	shapeは可算名詞
直線長さ	straight line length	lengthは「長さ」を表す場合は原則として不可算名詞。具体的な長さを表す場合は可算名詞〈p. 213 3. (2) 参照〉
長軸方向	long axis direction	
中央部	central part, center part	partは可算名詞

【英訳ノウハウ】

◆湾曲形状は、～と～の比が～が好適である

➢湾曲形状は、好適には、～という～と～の比を有する

☞the curved shape has the ratio of … to … of preferably …

⑬ 実施形態【００３１（中段）】

２：１より小さいと平面に近くなり、空気の対流が起こりにくいので温度が上昇してしまう。４：１より大きいと季節が真夏より外れて太陽高度が変わったときに、直射日光が入射しやすくなる。

If the ratio is smaller than 2:1, the light shielding surface is close to flat, which inhibits air convection, causing the temperature to rise. If the ratio is larger than 4:1, the direct sunlight easily enters when the season changes from midsummer and the sun's altitude changes.

キーワード	英訳	備考
～より小さい	smaller than …, less than …, below…	「～以下」と区別〈p. 197 1. (21) 参照〉
～より大きい	larger than… greater than …, exceed …	「～以上」と区別〈p. 197 1. (21) 参照〉
～しにくい	hard to …, hardly …	barely …でも可
入射する	come into, enter, incident	(incidentは形容詞)、"incident"は「入射している」という状態を表す形容詞。「入射する」という動作を表すには、enter, come into
温度が上昇する	temperature rises temperature increases (riseは自動詞、increaseは自動詞であり他動詞)	temperatureは「温度」を表す場合は原則として不可算名詞。具体的な温度を表す場合は可算名詞(Weblio辞書)〈p. 213 3. (2) 参照〉
真夏	midsummer	不可算名詞
～しやすい	easily …	
空気の対流	air convection	
平面	flat	形容詞、名詞、副詞でもある
近い(近似)	close to	approximate, approximate toも可

【英訳ノウハウ１】

◆２：１より小さいと、遮光面が平面に近くなり、空気の対流が起こりにくい

☞If the ratio is smaller than 2:1, the light shielding surface is close to flat, which inhibits air convection

◇「近くなり」は「距離が近い」ではなく、「近似する」を意味しているため、“close to”や“approximate”(他動詞)、“approximate to(自動詞)”を使います。

なお、上記和文の前の文章からも分かるように、「長軸方向の直線長さと、中央部の高さの比が２：１より小さい」ですが、下線部は英訳すると長くなるため、“the ratio”のみで十分です。「平面に近くなる」のは「遮光面」であり、これも補って訳します。

注)「対流が起こりにくい」は「対流を妨げる／inhibit」と訳している。

【英訳ノウハウ２】

◆遮光面が平面に近くなり、空気の対流を妨げるので、温度が上昇してしまう。

◇「遮光面が平面に近くなる」ことが「空気の対流を妨げる」と表現します。

➢遮光面が平面に近くなり、これが対流を妨げ、それにより温度が上昇する。

☞the light shielding surface is close to flat, which inhibits air convection, causing the temperature to rise.

注)causingは分詞構文〈p. 228 8. (1) 参照〉。“コンマ(,)which causes”は前の文章を先行詞とする関係代名詞〈p. 220 5. (1) 参照〉。

【英訳ノウハウ３】

◆季節が真夏より外れて太陽高度が変わったときに、直射日光が入射しやすくなる。

◇「真夏より外れて」を「真夏から変わる」、「入射しやすくなる」を「容易に入射する」と言い換えると翻訳しやすくなります。

➢季節が真夏から変わり、太陽高度が変わると、直射日光が容易に入射する。

☞the direct sunlight easily enters when the season changes from midsummer and the sun’s altitude changes.

⑭ 実施形態【００３２(前段)】

この基本構成ブロック52を一定のルールに従って組み合わせることにより、フラクタル(自己相似形)構造を備えた大規模な日除けブロックが形成される。

By combining these basic component blocks 52 according to a certain rule, a large-scale sunshade block having a fractal structure (self-similar structure) is formed.

キーワード	英訳	備考
自己相似形構造	self-similar structure	
～を備えた	having …, provided with …	AはBを備えている ☞A is provided with B BはAに備わっている ☞B is provided for A
大規模な	large-scale, large, grand, massive	

注)「この」は単数のブロックを指すが、「組み合わせる」のは複数のブロックであるため、「この」→「これら／ these」に変えて訳す必要がある。あるいは“these”ではなく“the basic component blocks 52”のようにブロックを複数形にして、“the”を付してもよい。

【英訳ノウハウ】

◆～を組み合わせることにより、～が形成される

☞ … is formed by combining …

◇上記の訳例は「～を組み合わせる」を手段として表現しています。

☞ … are combined, in order to form …

◇上記の訳例は、to不定詞により「その結果、～を形成する」と表現しています。

☞ … are combined, which completes a large-scale block.

◇「～を組み合わせる」の動作を記載し、前の文章が先行詞になる関係代名詞「コンマ(,)＋関係代名詞(which)」を用いています〈p. 220 5. (1) 参照〉。

☞ … are combined, and as a result, … is formed.
◇「～が組み合わされ、その結果、～が形成される」と表現しています。

⑮ 実施形態【0032(後段)】

まず、図4(a)に示すように、4個の基本構成ブロック52を組み合わせることにより、図4(b)に示すように、16枚の湾曲円状部材50を備えた中規模ブロック53が形成される。

At first, by combining four of the basic component blocks 52 as illustrated in Fig. 4(a), a medium-scale block 53 having 16 of the curved circular members 50 is formed as illustrated in Fig. 4(b).

キーワード	英訳	備考
まず	at first, firstly, initially, in the first place, first of all, to begin with	
中規模	medium-sized, mid-sized, medium-scale	

【英訳ノウハウ】

◆図4(a)に示すように、～を組み合わせることにより、図4(b)に示すように、～が形成される。

☞by combining … as illustrated in Fig. 4(a), … is formed as illustrated in Fig. 4(b).

注)"as illustrated in Fig."を文末に置くことによって、それ以前の文章を図が示していることが明確になる。文頭に置くと、図がどの内容を示しているかが不明確になる。おのおのの図が指し示す文章の最後に"as illustrated in Fig."を置く。

◇「組み合わせる」は「形成される」ことの手段として表現しており、"… are combined, in order to form …"や"… are combined, which completes …"など他の表現も可能です(前ページの【英訳ノウハウ】参照)。

⑯ 実施形態【００３４】

また、図５（a）に示すように、４個の中規模ブロック53を組み合わせることにより、図５（b）に示すように、64枚の湾曲円状部材を備えた大規模ブロック54が形成される。

In addition, by combining four of the medium-scale blocks 53 as illustrated in Fig. 5(a), a large-scale block 54 having 64 of the curved circular members is formed as illustrated in Fig. 5(b).

【英訳ノウハウ】

◆図５（a）に示すように、～を組み合わせることにより、図５（b）に示すように、～が形成される。

☞by combining … as illustrated in Fig.5(a), … is formed as illustrated in Fig.5(b).

注）p. 99の【英訳ノウハウ】参照。

⑰ 実施形態【００３６（前段）】

この大規模ブロック54の最下段の両端に配置された各湾曲円状部材50の長軸端部には、穴付き突起55が設けられる。

The end of the long axis of each of the curved circular members 50 that are arranged at the both ends on the lowest stage of this large scale block 54 is provided with a pored protrusion 55.

キーワード	英訳	備考
穴付き突起	protrusion (projection) with a hole, pored protrusion (projection)	protrusionやprojectionはともに「突起したもの」を意味するときは可算名詞 poredは「穴のある」を意味する
最下段に	at (on) the lowest stage	

【英訳ノウハウ】

◆端部には、穴付き突起が設けられる。

☞The end is provided with a pored protrusion.

◇実際には両端の部材の端部（計２個）におのおの突起が設けられていますが、数の関係明確化のため、１つの端部に１つの突起があると表現しています。

⑱ 実施形態【００３６（中段）】

同じく、大規模ブロック54の最上段の両端に配置された各湾曲円状部材50の短軸端部にも、穴付き突起55が設けられる。 Similarly, the end of the short axis of each of the curved circular members 50 that are arranged at the both ends of the top stage of the large-scale block 54 is provided with a pored protrusion 55.

注）「同じく」は、“Similarly”や“In this way”と訳す。

【英訳ノウハウ】

◆同じく、短軸端部にも、穴付き突起が設けられる。

◇「同じく」に「短軸端部にも」の意味があるため、「も」は訳していません。

☞Similarly, the end of the short axis is provided with a pored protrusion.

⑲ 実施形態【００３７（前段）】

図６～図８は、この大規模ブロック54の３Ｄ画像である（ただし、図示の便宜上、穴付き突起55は省略されている）。 Figs. 6 to 8 illustrate 3D images of the large-scale block 54 (however, the pored protrusions 55 are omitted for convenience' sake of illustration).

キーワード	英訳	備考
３Ｄ画像	3D image	imageは可算名詞
省略する	omit	
図示の便宜上	for convenience'sake of illustration	illustrationは「図示」の意味のとき不可算名詞
ただし	however, but, although, provided that …, except …	provided that …(ただし、…を条件とする) except …(ただし、…を除く)

注）これら３つの図面のおのおのに穴付き突起が複数示されているはずであるため、“pored protrusions 55”のように複数で表現している。

特開2019-218815【図６】　　特開2019-218815【図７】

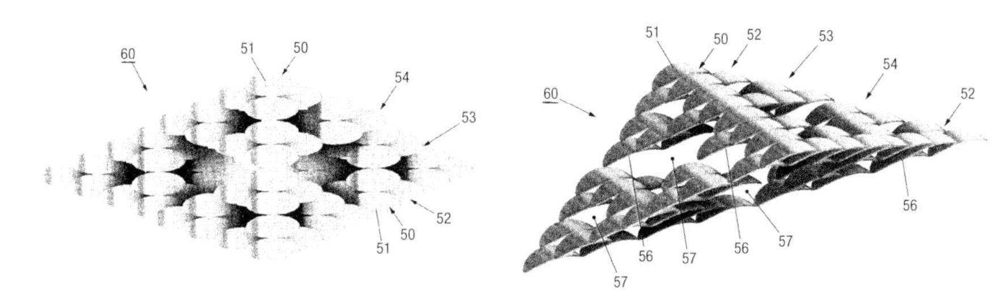

特開2019-218815【図８】

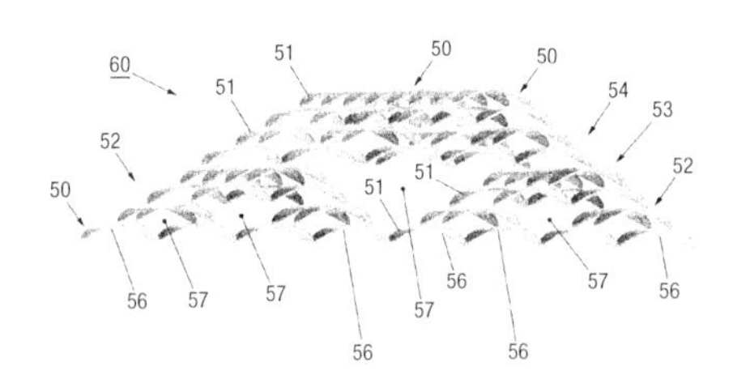

【英訳ノウハウ】

◆図６～図８は、３Ｄ画像である。

☞Figs.6 to 8 illustrate 3D images.

◇「３Ｄ画像である」とあっても「３Ｄ画像を示している」と訳します。

⑳ 実施形態【００３７（後段）】

図６に示すように、平面から観察した場合、大規模ブロック54には隙間がほとんどなく、上側に配置された基本構成ブロック52間の隙間が下側に配置された基本構成ブロック52の遮光面（湾曲円状部材50の凸面51）によってほぼ完全に塞がれていることが理解できる。

It can be understood from Fig. 6 that, when observed from a plane, the large-scale block 54 has almost no gaps, and the gaps between the basic component blocks 52 that are arranged on the upper side are almost completely blocked by the light shielding surfaces (the convex surfaces 51 of the curved circular members 50) of the basic component blocks 52 that are arranged on the lower side.

キーワード	英訳	備考
～には～がほとんどない	… have(has) almost no …	
ほぼ完全に	almost completely	
理解する	understand, appreciate	

【英訳ノウハウ１】

◆図６に示すように、～であることが理解できる。

◇「示すように」を無視しても意味は変わりません。

➢～であることが図６から理解できる。

☞It can be understood from Fig. 6 that ….

【英訳ノウハウ２】

◆平面から観察した場合、大規模ブロック54には隙間がほとんどなく

◇分詞構文を使って簡潔に訳します〈p. 230 8.（3）参照〉。

➢大規模ブロック54を平面から観察すると、これには隙間がほとんどなく

☞When observed from a plane, the large-scale block 54 has almost no gaps

㉑ 実施形態【００３８(前段)】

これに対し、図７に示すように、視点を斜めにずらした場合、各湾曲円状部材50間あるいは基本構成ブロック52間に、多数の隙間57が存することが見て取れる。

On the other hand, as illustrated in Fig. 7, many gaps 57 between the curved circular members 50 or the basic component blocks 52 can be seen from a diagonal direction.

キーワード	英訳	備考
視点	viewpoint, perspective, point of view, eye	
斜めに	diagonally, obliquely	
ずらす	shift, displace, deviate	
見て取る	see, learn, perceive, understand, get	

【英訳ノウハウ１】

◆視点を斜めにずらした場合、多数の隙間57が存することが見て取れる。

◇ここでは「視点をずらす」主語(人物)が表現されていないため、見られる対象を主語にして、「ずらした場合」を訳しません。

➢斜め方向から多数の隙間57が存することが見て取れる。

☞Many gaps 57 can be seen from a diagonal direction.

【英訳ノウハウ２】

◆各湾曲円状部材50間に、多数の隙間57が存することが見て取れる。

➢湾曲円状部材50間に、多数の隙間57が見て取れる。

☞many gaps 57 between the curved circular member 50 can be seen.

◇「各」を無視したとしても意味は通じます。“respective”や“each”を付さずに、“many gaps between the curved circular members 50”と訳します。

「存する」を“there are”や“are present”または“exist”のように訳す必要はなく、“gaps can be seen”とすれば十分です。

㉒ 実施形態【００３８（後段）】

> さらに、図８に示すように、大規模ブロック54を真横方向から観察すると、各湾曲円状部材50間あるいは基本構成ブロック52間に大きな隙間57が多数存在し、十分な通気性が確保されていることが分かる。
>
> In addition, as illustrated in Fig. 8, when the large-scale block 54 is observed from a right horizontal direction, the many gaps 57 that are large between the curved circular members 50 or the basic component blocks 52, and their guarantee of enough air permeability can be seen.

キーワード	英訳	備考
通気性	air permeability, breathability	
十分な	enough, sufficient	
確保する	ensure, secure	

注）「真横方向」の英訳は複数考えられるが、機械翻訳の訳例は以下のとおり。

Google® 翻訳：right sideways

DeepL® 翻訳：transverse direction, right lateral direction, right horizontal direction

Weblio辞書：just beside direction

【英訳ノウハウ】

◆湾曲円状部材50間あるいは基本構成ブロック52間に隙間57が多数存在し、十分な通気性が確保されていることが分かる。

➢湾曲円状部材50間あるいは基本構成ブロック52間の多数の隙間57と、それらによる（隙間による）十分な通気性の保証が分かる。

☞many gaps 57 between the curved circular members 50 or the basic component blocks 52, and their guarantee of enough air permeability can be seen.

㉓実施形態【００３９】

この発明においては、大規模ブロック54を図6に示したのと同様の向きで用いる場合と、これを裏返した状態で用いる場合があるため、前者を正置ブロック60と称し、後者を倒置ブロック61と称することにより、以後、両者を区別することとする。

In implementing this invention, the large-scale block 54 may be used in the same direction as that illustrated in Fig. 6 or may be used with it turned upside down. The former shall be referred to as a normally-placed block 60, and the latter shall be referred to as an inverted block 61, in order to distinguish both.

キーワード	英訳	備考
向き	orientation, direction	
～と称する	referred to …	
両者	both	形容詞、代名詞、副詞、接続詞
前者	former, that	
後者	latter, this	"A, B"を列挙し、その後に"B"を指してthis(後者)と表現
以後	hereinafter	
同様の	same, similar, identical	

注)"hereinafter(以後)"の反対語は"hereinbefore(以前)"である。"the same shall apply hereinafter"や"hereinafter the same shall apply"(以下同じ)という表現として明細書や契約書では頻出。

注)「同様の」は完全同一だけではなく、「ほぼ同一」という意味もあるが、ここでは「同一」の意味で使っているため、"same"と訳して構わない。「同様」とあっても、翻訳者は図面を見て「同一」か「ほぼ同一」のいずれであるかを判断すべき。

【英訳ノウハウ1】

◆～を…と称することにより、以後、両者を区別することとする。

☞… shall be referred to as …, in order to distinguish both.

◇「コンマ(,)＋in order to」を使い、「～を…と称する結果、両者を区別することができる」と表現します。

【英訳ノウハウ2】

◆大規模ブロックを…向きで用いる場合と、裏返した状態で用いる場合がある。

◇「～向きで用いる場合」「～状態で用いる場合」の「場合」を訳さず、「～向きで用いてもよい」「～状態で用いてもよい」と訳す。

➢大規模ブロックを…向きで用いてもよいし、裏返した状態で用いてもよい。

☞The large-scale block may be used in … direction or may be used with it turned upside down.

注)「場合と」の「と」で“and”を使うと“may”(場合がある)という助動詞によって「双方の場合を併せ持つ必要がある」という意味になってしまう。

㉓ 実施形態【００３９】

> 図9は、この倒置ブロック61を示す3D画像であり、各湾曲円状部材50の凹面56によって遮光面が形成されている。
>
> Fig. 9 illustrates a 3D image of the inverted block 61, in which the concave surface 56 of each of the curved circular member 50 forms the light shielding surface.

【英訳ノウハウ】

◆３Ｄ画像であり、凹面56によって遮光面が形成されている。

☞A 3D image in which the concave surface 56 forms the light shielding surface.

◇「３Ｄ画像であり、そこでは遮光面が形成されている」と表現するために、前置詞＋関係代名詞(またはwhere)を使います〈p. 217 5. (1) 参照〉。

(2)日除けユニットを形成し、載置

日除けブロックを枠材に組み付けて日除けユニットを形成し、基礎フレームに載置することにより、いよいよ日除けの完成です(後半の工程)。

㉕実施形態【0041】

この大規模ブロック54を複数用い、それぞれを図6に示した正置ブロック60としてフレームに配置・固定することにより、日除け用の正置ユニットが形成される。

A plurality of the large-scale blocks 54 are arranged and fixed in a frame as the normally-placed blocks 60 as illustrated in Fig. 6 to form a normally-placed unit for the sunshade.

【英訳ノウハウ1】

◆この大規模ブロックを複数用い、それぞれをフレームに配置・固定する

➢この複数の大規模ブロックをフレームに配置・固定する

◇「用いて、それぞれを」は省略しても意味は通じます。「〜を用いて」(using, by using, with)は手段として使用する場合に用いますが、ここではブロック自体を配置固定することを述べています。

【英訳ノウハウ2】

◆フレームに配置・固定する

☞arrange and fix a block in a frame

◇「フレーム内に配置・固定」するため“in”を使いますが、「フレームに接して配置・固定」する場合は“arrange and fix a block on a frame”となります。

【英訳ノウハウ3】

◆図6に示した正置ブロック60

☞normally-placed blocks 60 as illustrated in Fig. 6

◇「図6に示したような」として、“as”を付すことが多いです。

㉖ 実施形態【００４２】

まず、図10に示すように、一対の縦桟71と一対の横桟72によって形成された四角形の枠内に、４本の縦リーフ桟73を相互に所定の間隔を空けて平行に配置固定した構造の第１のフレーム部材74を用意する。

At first, as illustrated in Fig. 10, a first frame member 74 is constructed with four of vertical leaf bars 73 arranged and fixed in parallel so as to be spaced apart from each other by a prescribed interval in a rectangular frame formed by a pair of vertical bars 71 and a pair of horizontal bars 72.

キーワード	英訳	備考
縦桟	vertical bar	横桟はhorizontal bar
四角形の	quadrangular, square, rectangular	
縦リーフ桟	vertical leaf bar	leafは取り外し可能を意味するため、「リーフ」の言葉を日本語に付している
平行に	in parallel	

【英訳ノウハウ１】

◆４本の縦リーフ桟73を相互に所定の間隔を空けて配置固定する

➢４本の縦リーフ桟73を相互に所定の間隔を空ける態様で、配置固定する

☞Four of vertical leaf bars 73 arranged and fixed so as to be spaced apart from each other by a prescribed interval

注)「～のような態様で」の表現については、p. 183 1. (3) を参照。

特開2019-218815【図10】

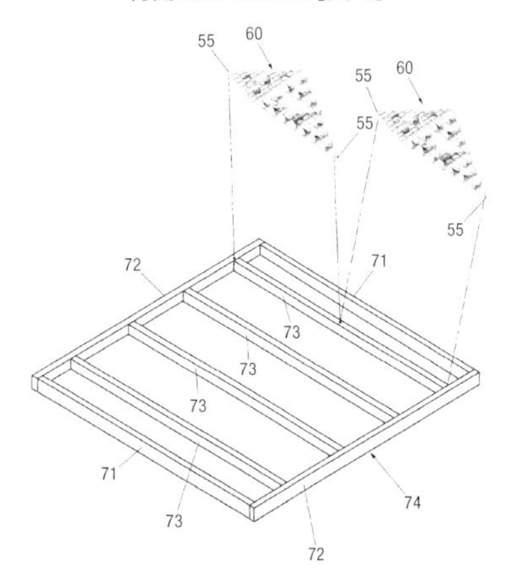

注)「〜の相互に所定の間隔を空ける」は“space … apart from each other by a prescribed interval”であり、“by”には「〜の差で」という意味がある。

例)温度が10℃上昇した：The temperature increased by 10 degrees.

【英訳ノウハウ2】

◆4本の縦リーフ桟73を相互に所定の間隔を空けて平行に配置固定した構造の第1のフレーム部材74を用意する。

◇「用意する」のは日除けを組み立てる者ですが、これは文章中に表れていないため、英訳する場合も「第1のフレーム部材」を主語にせざるを得ません。

➢第1のフレーム部材74を、相互に所定の間隔を空けて平行に配置固定した4本の縦リーフ桟73により構成する。

☞a first frame member 74 is constructed with four of vertical leaf bars 73 arranged and fixed in parallel so as to be spaced apart from each other by a prescribed interval.

◇「用意する」の主語が非常に長いため、英文では主語の後に“is prepared”を末尾に置くことになります。これを避けるため、「第1のフレーム部材74を〜により構成する」のように文章の構造を思い切り転換します。

㉗ 実施形態【0043】

この第1のフレーム部材74の各縦リーフ桟73に対して2個の正置ブロック60を載置した上で、それぞれの最下段の湾曲円状部材50の穴付き突起55にビスを挿通し、横桟72あるいは縦リーフ桟73に螺合させる。

By placing two of the normally-placed blocks 60 on each of the vertical leaf bars 73 of the first frame member 74 and inserting a screw into the pored protrusion 55 of the curved circular member 50 on each of the lowest stage, the screw is screwed to the horizontal bar 72 or the vertical leaf bar 73.

キーワード	英訳	備考
載置する	place	
ビス	screw, vis	ビスは螺旋状の溝が付いたネジ
AをBに挿通する	insert A into B	pass A through Bでも可
AをBに螺合する	screw A to B	
最下段に	at(on) the lowest stage	

注)「ビス」は“vis”(フランス語)と訳すこともできるが、ここでは“screw”と訳すこととする。

【英訳ノウハウ1】

◆各縦リーフ桟73に対して2個の正置ブロック60を載置する

☞place two normally-placed blocks 60 on each of the vertical leaf bars

◇「各桟に対して2個のブロックを載置する」では、「1つの桟に対して2個のブロックを載置する」という比を意識した表現です。「対して」は訳文に表す必要はなく、「各桟に2個のブロックを載置する」と訳せばよいです。

【英訳ノウハウ2】

◆穴付き突起55にビスを挿通し、横桟72あるいは縦リーフ桟73に螺合させる。

◇何を螺合させるか記載されていないため、これを補う必要があります。直前に「ビス」が登場しており、“it”で置き換えても構いませんが、明確化のために“the screw”を繰り返します。

➢穴付き突起55にビスを挿通し、横桟72あるいは縦リーフ桟73にビスを螺合させる。

☞inserting a screw into the pored protrusions 55, the screw is screwed to the horizontal bar 72 or the vertical leaf bar 73.

◇このような「ビスを挿通し、螺合させる」という表現は、「ビス」を目的語として使用し、その直後に主語として使用しているので、きちんと内容の伝わる訳にする工夫が必要です。

㉘ 実施形態【００４７】

図12は、第２のフレーム部材75を示すものであり、一対の縦桟71と一対の横桟72によって形成された四角形の枠内に、２本の横リーフ桟76を相互に所定の間隔を空けて平行に配置固定した構成を備えている。

Fig. 12 illustrates that a second frame member 75 is constructed with two of horizontal leaf bars 76 arranged and fixed in parallel so as to be spaced apart from each other by a prescribed interval in a rectangular frame formed by the pair of vertical bars 71 and the pair of horizontal bars 72.

キーワード	英訳	備考
横リーフ桟	horizontal leaf bar	

【英訳ノウハウ】

◆図12は、第２のフレーム部材75を示すものであり、２本の横リーフ桟76を配置固定した構成を備えている。

特開2019-218815【図12】

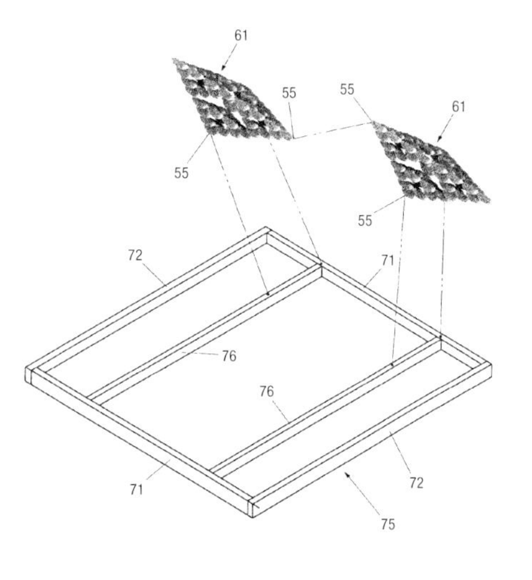

◇「図12は第２のフレーム部材75を示し、これは～構成を備えている」ことを意味しており、「これは」が日本語に表れていません。これを補わずに訳す方法を考えます。

➢図12は、第２のフレーム部材75が、配置固定した２本の横リーフ桟76により構成されていることを示している。

☞Fig. 12 illustrates that a second frame member 75 is constructed with two horizontal leaf bars 76 arranged and fixed.

㉙ 実施形態【0048】

この第2のフレーム部材75の各横リーフ桟76に対しては、倒置ブロック61を載置し、それぞれの最下段の穴付き突起55にビスを挿通し、横リーフ桟76あるいは縦桟71に螺合させることにより、固定していく。

By placing the inverted blocks 61 on each of the horizontal leaf bars 76 of the second frame member 75, inserting a screw into the pored protrusion 55 on each of the lowest stages, and screwing it to the horizontal leaf bar 76 or the vertical bar 71, the inverted blocks 61 are fixed.

キーワード	英訳	備考
載置する	place	
最下段に	at(on) the lowest stage	
AをBに挿通する	insert A into B	pass A through Bでも可
AをBに螺合する	screw A to B	
固定する	fix, secure	

【英訳ノウハウ】

◆倒置ブロック61を載置し、ビスを挿通し、…螺合させることにより、固定していく。

➢倒置ブロック61を載置し、ビスを挿通し、…螺合させることにより、倒置ブロック61を固定していく。

☞By placing the inverted blocks, inserting a screw, and screwing …, the inverted blocks 61 are fixed.

◇固定するのは「倒置ブロック61」ですが、この語句は文章の冒頭に登場しており、“they are fixed”と表現しても“they”が何を指すのかが不明確です。そこで“the inverted blocks 61 are fixed”と表現します。

なお、「固定していく」と表現されていても、「固定する」を意味しているので、そのように訳せば十分です。“will be fixed”と訳す必要はありません。

㉚ 実施形態【００５２(前段)】

正置ユニット70及び倒置ユニット77は、あらかじめ工場において必要個数製造された上で、設置現場にトラック輸送され、日除けとして組み立てられる。

The required number of the normally-placed units 70 and the inverted units 77 are produced in a factory in advance, and then transported by truck to a site where they are installed, and assembled as a sunshade.

キーワード	英訳	備考
必要個数の	the(a) necessary of	the(a) required number ofでも可 a number ofは「多数の」を意味する
設置現場	a site where (at which) … are installed an installation site	何を設置する現場かを明確にするために、a site where(at which) … are installedと表現する
トラックで輸送する	transport by truck	by train, by telephoneなど輸送手段や通信手段では冠詞を付さない
組み立てる	assemble, fabricate	

【英訳ノウハウ】

◆ユニット70及びユニット77は、工場で製造された上で、輸送され、組み立てられる。

◇製造→輸送→組立の流れを表すために、①「その後(then)」の言葉を入れて訳す、②「製造したユニット」という現在完了形を使う訳があります。

➢工場で製造されたユニット70及びユニット77は、輸送され組み立てられる。

☞The unit 70 and unit 77 are produced in a factory, and then transported, and assembled.

☞The unit 70 and unit 77 which have been produced in a factory are transported and assembled.

注)関係代名詞節を現在完了で表現することで、時系列を表す。

㉛ 実施形態【００５２（中段）】

図14は、完成した日除け80を例示するものであり、設置面81に対し垂直に立設された複数の脚部82上に基礎フレーム83が載置され、その上に正置ユニット70及び倒置ユニット77が固定されている様子が描かれている。

FIG. 14 gives an example of a sunshade 80 that was completed, and illustrates that a basic frame 83 is placed on a plurality of legs 82 that stand orthogonally to an installation surface 81, and that the normally-placed units 70 and the inverted units 77 are fixed on the basic frame 83.

キーワード	英訳	備考
例示する	exemplify, illustrate, given an example	
設置面	installation surface	
立設する	stand, erect	いずれも自動詞であり他動詞
脚部	leg	可算名詞であるが、通常は複数形で使用する
様子	appearance, state	【英訳ノウハウ１】参照
描く	illustrate, depict	
～に垂直に（副詞）	perpendicularly to …, orthogonally to …	「～に垂直である」（形容詞）の場合は perpendicular to …, orthogonal to …となる

【英訳ノウハウ１】

◆図14は、～を例示するものであり、～が載置され、～ユニットが固定されている様子が描かれている。

☞Fig. 14 gives an example of …, and illustrates that … is placed, and that the units are fixed.

◇that節に「様子」の内容を記載しておけば、あえて「様子」を訳す必要はありません。

【英訳ノウハウ２】

◆設置面81に対し垂直に立設された複数の脚部82上に基礎フレーム83が載置され、その上にユニット70、77が固定される。

注)「設置面81→脚部82→基礎フレーム83→ユニット70、77」の順に載置。

☞A basic frame 83 is placed on a plurality of legs 82 that stand orthogonally to an installation surface 81, and the units 70, 77 are fixed thereon. (好ましくない訳例)

◇"thereon"は"on a basic frame 83"を指していますが、冒頭の"A basic frame 83"と位置が離れているため、これを予測することができません。

☞A basic frame 83 on which the units 70, 77 are fixed is placed on a plurality of legs 82 that stand orthogonally to an installation surface 81.

◇下線部のように「前置詞＋関係代名詞」を使えば、「ユニット70、77」が基礎フレーム83の上に載置されていることが明確になります。

☞A basic frame 83 is placed on a plurality of legs 82 that stand orthogonally to an installation surface 81, and the units 70, 77 are fixed on the basic frame 83.

◇「基礎フレーム83」を繰り返せば、「ユニット70、77」がその上に固定されることが明確になります。

特開2019-218815【図14】

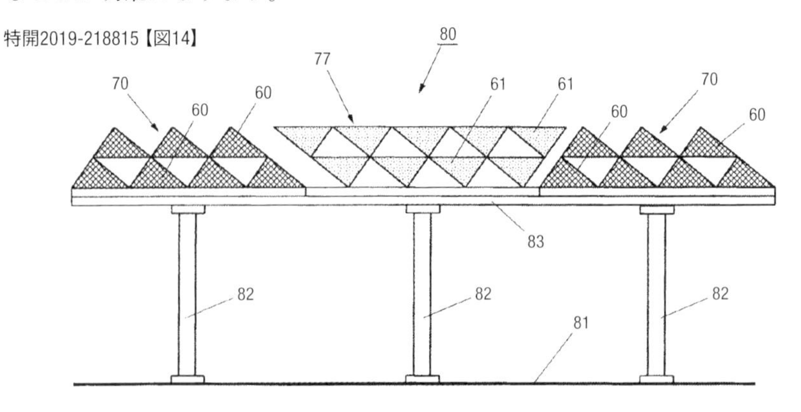

㉜ 実施形態【００５２（後段）】

正置ユニット70及び倒置ユニット77は、フォークリフトやユニック車によって基礎フレーム83上に持ち上げられ、図示しない連結具によって固定される。

The normally-faced units 70 and the inverted units 77 are lifted on the basic frame 83 by a forklift or Unic vehicle, and fixed by connecters (not shown).

キーワード	英訳	備考
フォークリフト	forklift	
ユニック車	Unic vehicle	truck with craneでも可
持ち上げる	raise, lift	いずれも自動詞であり他動詞（「持ち上げられる」の場合、いずれの動詞も受動態にする）
図示しない	not shown, not illustrated	カッコを付したり、which is not shownを付してもよい
連結具	connector, fastener	with, byを付して（連結具により）

【英訳ノウハウ】

◆ユニット70、77は、基礎フレーム上83に持ち上げられる。

☞The units are raised(lifted) on the basic frame 83.

◇「～上に」という動きのある前置詞“onto”を使うこともできます。

㉝ 実施形態【００５３（後段）】

このように、複数の正置ブロック60を備えた正置ユニット70と、複数の倒置ブロック61を備えた倒置ユニット77を、いわゆる市松模様状に配置することにより、一方のユニットから張り出したブロックが他方のユニットにおける空きスペースに嵌合する形となり、隙間の少ない遮光面を効率的に形成することが可能となる。

In this way, arranging the normally-placed units 70 with a plurality of the normally-placed blocks 60 and the inverted units 77 with a plurality of the inverted blocks 61 in a checkered pattern leads the blocks projecting from one unit into empty spaces in the other unit, which makes it possible to efficiently form the light shielding surfaces with small gaps.

キーワード	英訳	備考
このように	In this way, Thus, Accordingly	
市松模様	checkered pattern, checkboard pattern	patternは可算名詞
張り出す	protrude, extend, project	projectは「突出する」
空きスペース	empty space	「空き場所、スペース」を意味するときは不可算名詞、具体的には可算名詞(Weblio辞書)
嵌合する	fit, engage	いずれも自動詞であり他動詞 A fits into B, A engages with B(AがBに嵌合する)
隙間が少ない(狭い/小さい)	small gaps, narrow gaps	a small number of gaps, a few gaps(少数の隙間)、few gaps(隙間の数がほとんどない)

【英訳ノウハウ1】

◆ユニット70と、ユニット77を市松模様状に配置することにより、ブロックが空きスペースに嵌合する形となる。

◇「配置すること」が「ブロックの嵌合を許容する」という文の訳例です。

➢ユニット70と、ユニット77を市松模様状に配置することは、ブロックが空きスペースに嵌合することを許容する。

☞Arranging the units 70 and the units 77 in a checkered pattern allows a block to engage with an empty space.

◇以下は「配置すること」が「ブロックを嵌合させる」という文の構造です。

☞Arranging the units 70 and the units 77 in a checkered pattern permits a block to engage with an empty space.

注）上記2つの訳例は、「主語が目的語に動作を許す」〈p. 193 1. (17) 参照〉。

☞Arranging the units 70 and the units 77 in a checkered pattern results in engagement of a block with an empty space.

注）上記の訳例は、"result in"（～という結果になる）〈p. 192 1. (16) 参照〉。

特開2019-218815【図15】

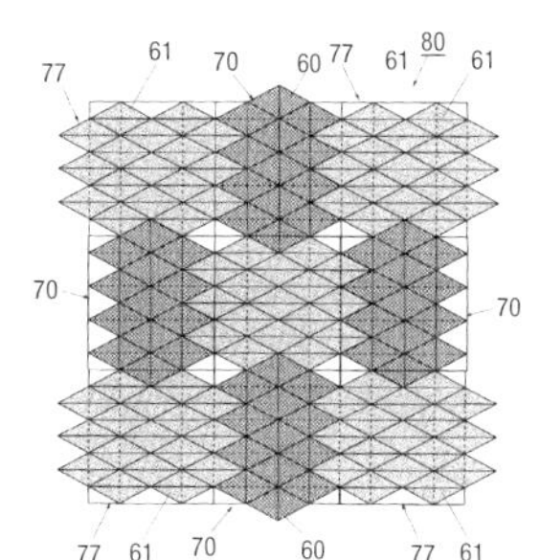

【英訳ノウハウ2】

◆…に嵌合する形となり、遮光面を効率的に形成することが可能となる。

☞leads … into an empty space, which enables efficient formation of the light shielding surfaces.

☞leads … into an empty space, which makes it possible to efficiently form the light shielding surfaces.

注）上記2つの訳は前の文章を先行詞とする関係代名詞〈p. 220 5. (1) 参照〉。

☞leads … into an empty space, thereby (thus) efficiently forming the light shielding surfaces.

注）上記英訳は"thereby"や"thus"を付した分詞構文〈p. 228 8. (1) 参照〉。

㉞ 実施形態【0054】

ただし、この発明はこのような構成に拘泥するものではなく、正置ユニット70あるいは倒置ユニット77のいずれか一方の日除けユニットのみを多数用いることにより、日除けを構成することを排除するものではない。

However, this invention is not limited to the structure described herein, and does not exclude configuration of a sunshade by using only many sunshade units of either the normally-placed units 70 or the inverted units 77.

キーワード	英訳	備考
～のいずれか一方	either … or …	
排除する	eliminate, exclude	
～のみ	only	p. 186 1. (9) 参照

【英訳ノウハウ１】

◆この発明はこのような構成に拘泥するものではない。

➢この発明は本明細書に記載の構成に限定されない。

☞This invention is not limited to the structure described herein.

【英訳ノウハウ２】

◆この発明は、日除けユニットのみを多数用いることにより、日除けを構成することを排除するものではない。

☞This invention does not exclude configuration of a sunshade by using only many sunshade units.

㉟ 実施形態【００５６】

上記のように、各日除けブロックに含まれる各湾曲円状部材50の長軸を東西方向に向けることにより、太陽光線が湾曲円状部材50の凸面51または凹面56によって遮蔽されるため、日除け効果を発揮することが可能となる。ただし、設置の方向はこれに限定されるものではない。

As described above, orienting the long axis of each of the curved circular members 50 contained in each of the sunshade blocks in the east-west direction causes sunlight to be shielded by the convex surfaces 51 or the concave surfaces 56 of the curved circular members 50, which can produce a sunshade effect. The direction of installation is not, however, limited to this.

注）「設置の方向」は“direction of installation”と訳す。

【英訳ノウハウ】

◆長軸を東西方向に向ける

☞Orientating the long axis in the east-west direction

◇「向ける」を意味する“orien(ta)te”(他動詞)を使います。

㊱ 実施形態【００５７】

しかも、日除けブロックを構成する各湾曲円状部材50間あるいは基本構成ブロック52間には多数の隙間57が形成されており、遮光面が三次元空間に分散配置された形となっているため、また各湾曲円状部材50の湾曲面によって空気の対流が生じるため、上記隙間57を介して熱を素早く空気中に逃がすことが可能となる。

In addition, the many gaps 57 are formed between the curved circular members 50 or the basic component blocks 52 which configure the sunshade block, and the light shielding surfaces are distributed and arranged in three-dimensional space, or the curved surfaces of the curved circular members 50 cause air convection, which can allow heat to escape rapidly into the air via the gaps 57.

キーワード	英訳	備考
空気の対流	air convection	
生じる	occur	「生じさせる」はcause
逃す	release, loose, allow … to escape	
素早く	rapidly, quickly	

【英訳ノウハウ】

◆湾曲面によって空気の対流が生じる

◇「湾曲面」が空気の対流を引き起こすので、「湾曲面」を主語にします。

➢湾曲面が空気の対流が生じさせる

☞the curved surfaces cause air convection

㊲ 実施形態【００５８（前段）】

◇ここは、「発明の効果【００２３（前段）】」とほぼ同一の文章であるため、以下のとおり、少し修正すれば訳文が完成します。

発明の効果【００２３（前段）】	実施形態【００５８（前段）】
~~この発明に係る日除けにあっては、~~遮光面を形成する湾曲円状部材が文字通り曲線で囲まれた~~円形または~~楕円形を備えており、上下に配置された湾曲円状部材の端部間で膨らみ部分が重複する構造を備えている。	さらに、遮光面を形成する湾曲円状部材50が文字通り曲線で囲まれた「楕円形」を基調としており、上下に配置された湾曲円状部材50の端部間で膨らみ部分が重複する構造を備えている（図２参照）。
~~The sunshade according to this invention is configured such that~~ each of the curved circular members forming the light shielding surfaces has ~~a circular shape or~~ an oval shape that is literally bordered by a curved line, and their expanded parts overlap between their respective ends of the curved circular members that are arranged vertically.	Additionally, each of the curved circular members 50 forming the light shielding surfaces basically has an "oval shape" that is literally bordered by a curved line, and their expanded parts overlap between their respective ends of the curved circular members 50 that are arranged vertically (see Fig. 2).

注）英訳のときは「初出」を「発明の効果」であらためて判断しないことが多い。【００５８】では「円形または楕円形」のうち「円形」がないため、英訳ではこれを省いている。

【英訳ノウハウ】

◆湾曲円状部材が楕円形を基調としている。

◇「基調としている」は英訳が難しいため、以下のように言い換えます。

➢湾曲円状部材は基本的に楕円形を有している。

☞the light shielding surfaces basically have an oval shape.

㊳ 実施形態【００５８（後段）】

◇ここも「発明の効果【００２３（後段）】」とほぼ同一の文章であるため、以下のとおり、修正せずに訳文が完成します（こちらは流用）。

発明の効果【００２３】	実施形態【００５８（後段）】
このため、直線で囲まれた従来の日除け部材の遮光面に比べて、時刻や季節のズレに対する遮光性能の低下を有効に緩和することが可能となる。	このため、直線で囲まれた従来の日除け部材の遮光面に比べて、時刻や季節のズレに対する遮光性能の低下を緩和することができる。
This can alleviate a decrease in light shielding performance due to changes in time and season more effectively than light shielding surfaces of conventional sunshade members that are bordered by linear lines.	This can alleviate a decrease in light shielding performance due to changes in time and season more effectively than light shielding surfaces of conventional sunshade members that are bordered by linear lines.

注）段落【００２３】とは異なり「有効に」の文言がないが、「従来と比べて遮光性能の低下を緩和できる」のは「（従来より）有効に緩和できる」意味と考えて、訳文を流用する。

㊴ 実施形態【００５９】

図16は、四面体を対角線で折り曲げた構造を備えた従来の日除けブロックによる太陽光の遮光性能を確認するために、7月上旬、中旬、下旬の各南中時刻に、地面に映った影を撮影したものである。

FIG. 16 consists of photographs of shadows on the ground at solar noon at the beginning, in the middle, and at the end of July, confirming sunlight shielding performance of a conventional sunshade block configured by folding a tetrahedron along a diagonal line.

キーワード	英訳	備考
四面体	tetrahedron	可算名詞
対角線	diagonal line	lineは可算名詞
撮影する	photograph, film, take (a picture), shoot	
折り曲げる	fold (up)	
確認する	confirm, verify, check	
～月上旬、中旬、下旬	at the beginning …, in the middle …, at the end of …	
南中時刻	solar noon	
影	shadow	

注)「薄暗がり」の意味のときはshades(複数形)、「影」の場合はshadow(可算名詞)。「暗がり」の場合は“the shadows”とする(Weblio辞書)。

【英訳ノウハウ１】

◆四面体を対角線で折り曲げた構造を備えた従来の日除けブロック

◇「対角線で折り曲げる」は「対角線に沿って折り曲げる」に、「折り曲げた構造を備えた」は「折り曲げることにより構成される」に言い換えます。

➢四面体を対角線で折り曲げたことにより構成される従来の日除けブロック

☞a conventional sunshade block configured by folding a tetrahedron along a diagonal line.

【英訳ノウハウ２】

◆図16は、地面に映った影を撮影したものである。

◇「地面に映った影」は「地面の上の影」に、「影を撮影したもの」は「影の写真」に言い換えると英訳しやすくなります。

➢図16は、地面の上の影の写真から構成されている。

☞Fig. 16 consists of photographs of shadows on the ground.

注)図16は３つの写真を示しているが、“Fig. 16 is photographs”ではなく、「複数の写真から成り立っている」(consists of …)と表現する。

㊵ 実施形態【0060(前段)】

この従来の日除けブロックは、7月初旬の太陽光を最大限遮光できる角度に設置されているため、16図(a)に示すように、7月初旬においてはほぼ全域が影となっており、太陽光の漏れがほとんど生じていない。

This conventional sunshade block is installed at an angle at which sunlight at the beginning of July can be shielded maximally, and thus casts a shadow in almost all areas and sunlight is hardly transmitted at the beginning of July as illustrated in FIG. 16(a).

キーワード	英訳	備考
遮光する	shield light	
～できる角度で	at an angle at which … can …	p. 198 1. (22) 参照
全域	all areas, all regions	
ほぼ全部	almost (approximately, nearly) all	
影となる	cast a shadow, become shady	

【英訳ノウハウ】

◆ほぼ全域が影となっており、太陽光の漏れがほとんど生じていない。

➢ほぼ全域に影が投影されており、太陽光はほとんど漏れていない。

☞casts a shadow in almost all areas and sunlight is hardly transmitted.

㊶ 実施形態【0060(中段)】

これに対し、16図(b)に示すように、7月中旬になると影の面積が減少し、その分、木洩れ日領域γの面積が拡大していることが見て取れる。

On the other hand, it can be seen from Fig. 16(b) that a shadow area decreases, and in proportion to this, the area of a region γ of sunlight filtering through trees expands when the middle of July comes.

キーワード	英訳	備考
面積	area	原則、不可算名詞、具体的には可算名詞（Weblio辞書）
減少する	diminish, decrease	
その分	in proportion to this	「これに比例して」の意味
木洩れ日	sunlight filtering through trees	
拡大する	expand, increase, extend	

注）「木洩れ日」は、木や葉の間を通過して差し込む日光、「木洩れ日領域」はその日光が当たる領域のこと。DeepL®翻訳では「木洩れ日」を、“sunlight filtering through trees”と訳しており、“a region of sunlight filtering through trees”という造語を当てる。木洩れ日領域γの「γ」は“region”の直後に付す（“a region of sunlight filtering through trees γ”とした場合、γは“trees”を指すという誤解が生じるため）。

なお、「領域」を“area”ではなく“region”と訳したのは、「面積」の訳語として“area”を使っているため、これとの混同を避けた。

【英訳ノウハウ１】

◆影の面積が減少し、その分、～の面積が拡大している。

☞a shadow area decreases, and in proportion to this, the area of … expands.

◇その分の「その」は影の面積が減ることを指しているため、この後に“in proportion to this”と続けます。

特開2019-218815【図16】

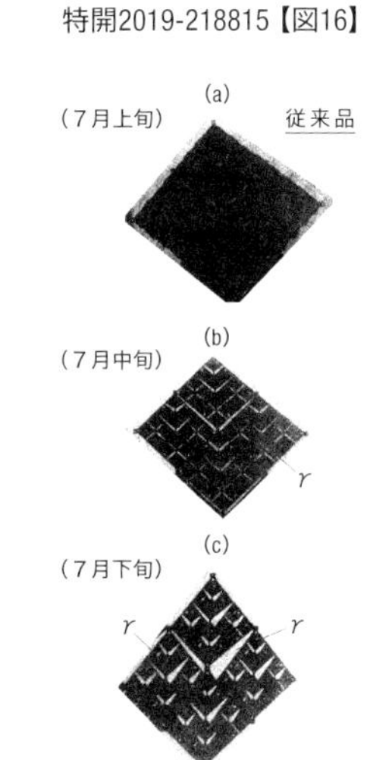

【英訳ノウハウ２】

◆16図（ｂ）に示すように、～ことが見て取れる。

◇「～に示すように」は、なくても意味が通ります。英訳しやすくするため、以下のように言い換えます。

➢16図（ｂ）から、～ことが見て取れる。

☞It can be seen from Fig. 16(b) that …

㊷ 実施形態【００６０(後段)】

これが７月下旬ともなると、17図(ｃ)に示すように、木洩れ日領域γの面積がさらに拡大し、遮光領域が後退していることが分かる。

When the end of July has come, it can be seen from Fig. 17(c) that the area of the region γ of sunlight filtering through trees further expands and a region where light is shielded retreats.

キーワード	英訳	備考
遮光領域	a region where light is shielded	「光が遮ぎられる領域」を関係副詞whereで表現
後退する	retreat, recede, move backward	retreatとrecedeは自動詞

【英訳ノウハウ１】

◆これが７月下旬ともなると

☞When the end of July has come

注)「これが」は無視して構わない。「ともなると」についてはp. 192 1. (15)を参照。

特開2019-218815【図17】

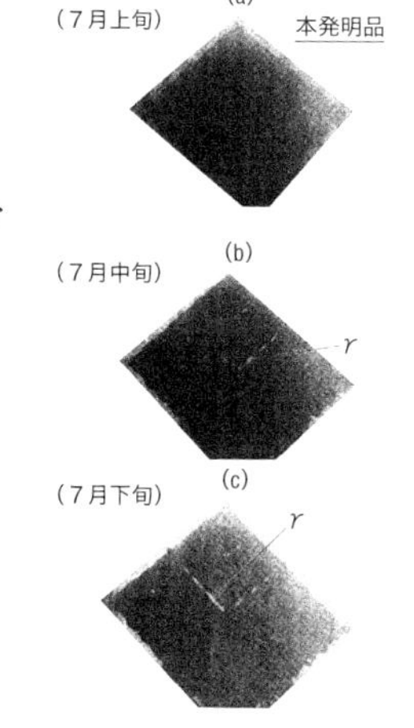

【英訳ノウハウ２】

◆17図(ｃ)に示すように、…が後退していることが分かる。

➢17図(ｃ)に示すように、…が後退している。

☞As illustrated in Fig. 17(c), … retreats.

➢…が後退していることが17図(ｃ)から分かる。

☞It can be seen from Fig. 17(c) that … retreats.

㊸ 実施形態【００６１】

一方、図17は、湾曲円状部材50を用いて形成した日除けブロックによる太陽光の遮光性能を示すものであり、上記と同じく、７月上旬、中旬、下旬の各南中時刻に、地面に映った影を撮影したものである。

On the other hand, FIG. 17 illustrates the sunlight shielding performance of the sunshade block formed by using the curved circular members 50 with photographs of shadows on the ground at solar noon at the beginning, in the middle, and at the end of July in the same manner as above.

注)「上記と同じく」は"in the same manner as above"と訳す(「上記と同じ手法で」の意味)。"similarly to the above (foregoing)"でもよい。

【英訳ノウハウ】

◆図17は、〜を示すものであり、〜を撮影したものである。

➢図17は、〜の写真により、〜を示すものである。

☞Fig. 17 illustrates … with photographs of ….

㊹ 実施形態【００６２(前段)】

この場合も、日除けブロックは７月初旬の太陽光を最大限遮光できる角度に設置されているにもかかわらず、図17(b)及び(c)に示すように、７月中旬及び下旬になっても木洩れ日領域γがほとんど生じることなく、高い遮光性能を維持していることが確認できる。

Also in this case, it can be confirmed that the sunshade block is installed at an angle at which sunlight at the beginning of July is shielded maximally but hardly generates the region γ of sunlight filtering through trees while maintaining the high light shielding performance even when the middle and end of July come as illustrated in Figs. 17(b) and (c).

注)「この場合も」は、"also in this case"と訳す。

【英訳ノウハウ】

◆日除けブロックは … 木洩れ日領域γがほとんど生じることなく、高い遮光性能を維持している。

➢日除けブロックは … 高い遮光性能を維持しつつ、木洩れ日領域γをほとんど生じさせない。

☞The sunshade block … hardly generates the region γ of sunlight filtering through trees while maintaining the high light shielding performance.

◇上記では「ほとんど生じさせない」と言い換えて"hardly generate"と訳しています〈p. 186 1. (8) 参照〉。

㊺ 実施形態【0062(後段)】

ちなみに、この実験においては以下の湾曲円状部材50を用いた。
長軸:56mm
短軸:37.5mm
湾曲高さ:18.8mm

Incidentally, the following curved circular member 50 was used in this test.
long axis: 56mm
short axis: 37.5mm
height of curve: 18.8mm

キーワード	英訳	備考
ちなみに	incidentally, on another note, for your information	
実験	test, experiment	testは可算名詞、experimentは「(科学上の)実験」のときは可算名詞

3. 図面の種類を表す表現
Expression for Types of Drawings

添付図面のそれぞれが、いかなる図面なのかを説明します。明細書(特に実施形態)では図面の番号を参照しながら説明します。

(1)図面に係る用語一覧

キーワード	英訳
正面図	front view
斜視図	perspective view
平面図	plan (plane) view
側面図	side view
背面図	rear view
組立図	assembly drawing (diagram)
断面図	cross section, sectional view
部分断面図	partial cross section
分解図	exploded view
ブロック図	block diagram
概念図	conceptual diagram
フローチャート	flow chart
拡大～図	enlarged … drawing (view)
拡大断面図	expanded (enlarged) sectional view
～した状態を示す～図	a drawing illustrating a state where …
概略図、回路図、模式図	schematic diagram
展開図	development view, expansion plan

(2)図面の簡単な説明を英訳する

◆【図1】基本構成ブロックを示す斜視図である。

☞FIG. 1 is a perspective view illustrating a basic component block;

◇「【図1】 ～図である」を“Fig. 1 is (shows, illustrates) a … view”のように訳します。「セミコロン(;)」で列挙していきます。

◆【図２】基本構成ブロックを示す平面図である。

☞FIG. 2 is a plan view illustrating the basic component block;

◆【図３】基本構成ブロックを示す側面図である。

☞FIG. 3 is a side view illustrating the basic component block;

◆【図４】中規模ブロックの組立図及び平面図である。

☞FIG. 4 is an assembly view and a plan view of a medium-scale block;

◆【図５】大規模ブロックの組立図及び平面図である。

☞FIG. 5 is an assembly view and a plan view of a large-scale block;

◆【図６～８】正置ブロックの３Ｄ画像である。

☞FIGS. 6 to 8 are 3D images of a normally-placed block.

◆【図９】倒置ブロックの３Ｄ画像である。

☞FIG. 9 is a 3D image of an inverted block;

◆【図10】正置ユニットの組立図である。

☞FIG. 10 is an assembly view of a normally-placed unit;

◆【図11】正置ユニットの形成過程を示す平面図である。

☞FIG. 11 is a plan view illustrating a process of forming the normally-placed unit;

注）「正置ユニットの形成過程」は“a normally-placed unit formation process”のようにしてもよいが、冗長になるため、「～を形成する工程」と訳した。

◆【図12】倒置ユニットの組立図である。

☞FIG. 12 is an assembly view of an inverted unit;

◆【図13】倒置ユニットの形成過程を示す平面図である。

☞FIG. 13 is a plan view illustrating a process of forming the inverted unit;

◆【図14】正置ユニット及び倒置ユニットを用いて形成された日除けを示す側面図である。

☞FIG. 14 is a side view illustrating a sunshade formed using the normally-placed units and inverted units;

◆【図15】正置ユニット及び倒置ユニットを用いて形成された日除けを示す平面図である。

☞FIG. 15 is a plan view illustrating the sunshade formed using the normally-placed units and the inverted units;

◆【図16】従来の日除けブロックによる太陽光の遮光性能を示す図である。

☞FIG. 16 is a view illustrating sunlight shielding performance of a conventional sunshade block;

◆【図17】この発明に係る日除けブロックによる太陽光の遮光性能を示す図である。

☞FIG. 17 is a view illustrating sunlight shielding performance of a sunshade block according to this invention;

◆【図18】傾斜配置した可動板上に正置ユニット及び倒置ユニットを配置固定した日除けを示す側面図である。

☞FIG. 18 is a side view illustrating a sunshade in which the normally-placed units and the inverted units are arranged and fixed on a movable plate that is inclined and arranged;

注）「傾斜され、配置される」についてはp. 186 1. (7) を参照。

◆【図19】従来の日除け部材を示す斜視図である。

☞FIG. 19 is a perspective view illustrating a conventional sunshade member.

◆【図20】従来の日除け部材の基本要素の拡大斜視図である。

☞FIG. 20 is an enlarged perspective view of a basic element of the conventional sunshade member.

◆【図21】従来の日除け部材を４個用いて組み立てられる日除けブロックを示す斜視図である。

☞FIG. 21 is a perspective view illustrating a sunshade block assembled using four of the conventional sunshade members.

注）初出は「図面の簡単な説明」のところであらためて判断する。

第３章
特許請求の範囲を英訳する

Translate Claims into English

特許請求の範囲（以下、クレーム）は、明細書の記載事項のうち特許を請求して特許権を取得したい発明を記載する書類です。しかし、多くの場合、「課題を解決するための手段」と記載内容が重複するため、ここの英訳の表現を若干修正することで、クレームの英訳を完成させることができます。

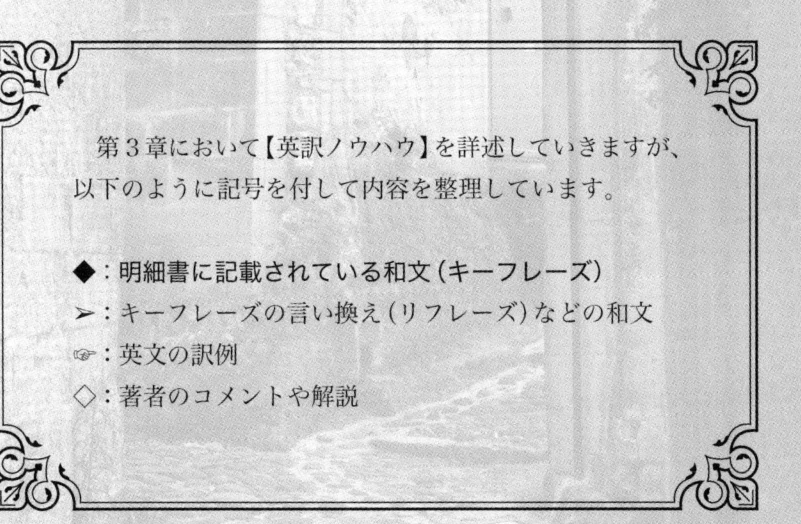

第３章において【英訳ノウハウ】を詳述していきますが、以下のように記号を付して内容を整理しています。

◆：明細書に記載されている和文（キーフレーズ）
➢：キーフレーズの言い換え（リフレーズ）などの和文
☞：英文の訳例
◇：著者のコメントや解説

1．日除け発明におけるクレームの構造
Claim Structure in Sunshade Invention

日除け発明においても、「課題を解決するための手段」【００１９】と請求項1の内容は、ほぼ同じです。以下に請求項1を分節します。

【請求項１に記載した日除けは、以下を備えている】
複数の遮光面と複数の隙間が三次元的に配置され、所定の遮光角度から観察した場合に上記の各隙間が背後に配置された各遮光面によってほぼ塞がれた状態に見える構造を備えた複数の日除け部材を、一定の方向にそろえて配置した日除けブロックを複数備え

【以下を特徴とする】
a）上記日除け部材が、円形または楕円形の板材を湾曲させた湾曲円状部材を複数用い、
b）各湾曲円状部材をそれぞれの湾曲方向がそろうように配置するとともに、
c）相互の端部同士を連結することによって形成されている

このようなクレームを「ジェプソンタイプ・クレーム」といいます。

このタイプのクレームの場合、「〜において（であって）」という前提部分（preamble）と本体部（body）から構成されています（two-part形式）。従来技術と発明の特徴が明確に記載されることになるので、発明の内容を理解しやすいというメリットがあります。

しかし、「前提部分の内容は従来技術である」と解釈されてしまうため、前提部分には新規事項を記載すべきではありません。内容にもよりますが、従来技術との区別がつきにくい発明のクレームを記載する場合は、このジェプソンタイプは避けたほうがよいでしょう。

ジェプソンタイプ・クレームの簡単な例を挙げます。

以下は「書籍の栞」という発明です。① 主部、② 凸部という構成要件を備えており、凸部は任意の物の形状を有しているという特徴があります。

主部と、 凸部とを備えた書籍の栞であって、 上記凸部は、人物や動物等の任意の物の形状と成されていることを特徴とする、 栞。	A bookmark comprising: a body; and a convex part, wherein the convex part has the shape of any object like a person or an animal.

上記について、前提部分と本体部に分けると以下のようになります。

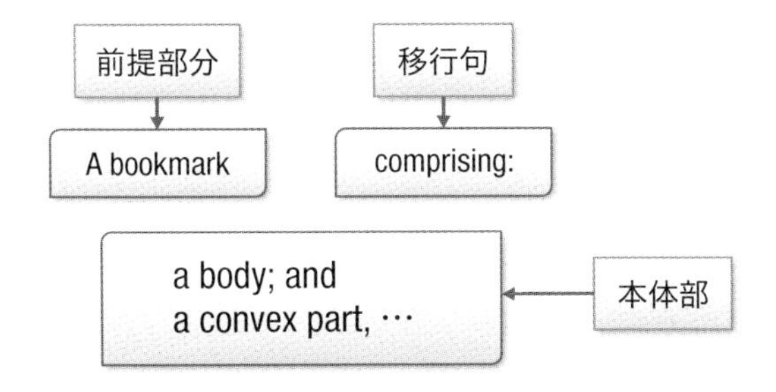

（1）前提部分（preamble）

前提部分に記載する内容は、従来技術であることを認めたことになるので、この請求項では、“A bookmark”が従来技術になります。こうした理由から、前述したようにジェプソンタイプを使う場合、前提部分に新規な技術を記載することは避けるべきです。

（2）本体部（body）

「主部と、凸部を備え、凸部は任意の物の形状と成されている」という本発明の特徴を述べています。

（3）whereinは「～というような」

例えば「～というようなシステム」「～というような穴」など、文末が名詞で終わるような文章を英訳する場合は、以下のように“in which”を使います。

◆内部に多くの部品が埋め込まれているシステム

☞a system in which many parts are embedded

◆内部に多くの石が置かれている穴

☞a hole in which many stones are put

“in which”のような「前置詞＋関係代名詞」は、関係副詞“where”に置き換えることができます〈p. 217 5. (1) 参照〉。クレームの英訳でよく使う“wherein”(関係副詞) も“in which”に置き換えて考えると分かります。

なお、米国特許規則37 CFR 1.75(e) には、ジェプソンタイプ(two-part形式) のクレームは、以下からなることが規定されています。

① 従来のまたは公知の要素、ステップの一般的説明(プリアンブル)

② “wherein the improvement comprises”(訳：前記改良は以下を備える)

③ 出願人が新規または改良された部分と考える要素、ステップ等(本体部)

つまり、“wherein the improvement comprises”として発明の特徴を記載します。しかし、ジェプソンタイプを避け、前提部分と特徴部分を分けずに記載する「one-part形式」が採られることが多いです。

注) one-part形式とは、“A bookmark comprising: a body; and a convex part having the shape of any object”のように、前提部分と特徴部分を分けずに、構成要件を列挙する形式である。

欧州特許条約施行規則43条(1) では、クレームは、以下からなることが規定されている(欧州のtwo-part形式)。

① 先行技術

② “characterized in that”や“characterized by”で始まる特徴部分

例えば、“A bookmark characterized by a body; and a convex part having the shape of any object”のように表現しますが、one-part形式の米国出願向けのクレームをそのまま欧州出願向けとすることも少なくありません。

なぜなら、２種類のクレームを作成するのは手間や費用がかかる上に、前提部分を先行技術と自認したとみなされるからです。

2．請求項を英訳する
Translate Claims into English

日除け発明の請求項１～４を英訳していきます。「課題を解決するための手段」と内容がほぼ同一なので、「キーワード一覧」と「キーフレーズ」は省略します。

（１）請求項１（「～であって」以前）を英訳する

複数の遮光面と複数の隙間が三次元的に配置され、所定の遮光角度から観察した場合に上記の各隙間が背後に配置された各遮光面によってほぼ塞がれた状態に見える構造を備えた複数の日除け部材を、一定の方向にそろえて配置した日除けブロックを複数備えた日除けであって、

A sunshade comprising a plurality of sunshade blocks, each of which has a plurality of sunshade members aligned in a certain direction, the plurality of sunshade members being configured such that a plurality of light shielding surfaces and a plurality of gaps are arranged three-dimensionally, and when observed from a prescribed light shielding angle, the gaps appear to be substantially blocked by their respective light shielding surfaces that are arranged behind the gaps,

【請求項１（「～であって」以前）の補足】

請求項１	補足
複数の遮光面と複数の隙間が三次元的に配置され、所定の遮光角度から観察した場合に上記の各隙間が背後に配置された各遮光面によってほぼ塞がれた状態に見える構造を備えた複数の日除け部材を、	日除け部材 ① 遮光面と隙間57が三次元的に配置されている。 ② 各隙間57が遮光面によってほぼ塞がれた状態に見える。
一定の方向にそろえて配置した日除けブロックを複数備えた日除けであって、	そのような日除け部材を一定方向にそろえて配置したことにより形成される日除けブロックを複数備えている日除け

【クレームで現在分詞を使う理由】

このクレームでは、冒頭から動詞の現在分詞形で始まっています。

☞A sunshade comprising a plurality of sunshade blocks.

それ以降も以下のように動詞のing形(現在分詞)を使っています。

☞the plurality of sunshade members being configured

これは独立分詞構文です〈p.230 8.(5)参照〉。つまり、“A sunshade comprising”や“the plurality of sunshade members being”のように主語が異なる分詞構文です。

しかし、関係代名詞やwherein節(関係副詞)のなかでは動詞の原形や三人称単数現在形が使用可能です。関係副詞は副詞として機能するため、wherein節の中では「ＳＶ、ＳＶＯ、ＳＶＣ」などの通常の文型を置くことができます。関係代名詞やwherein節等以外で動詞を現在分詞にするのは、クレームが全体として一つの名詞句を形成しているからです。

日除けは、
～と、
～とを備え、
～は～であり、
～は～であることを特徴とする、日除け。

左記のように、「日除け」から始まり、「日除け」で結びます。

しかし、なぜクレームを全体として一つの名詞句を形成するように記載するのでしょうか？

なぜなら、“What is claimed is”や“We claim”など、クレームの冒頭に記載するフレーズの補語や目的語になっているからです。それゆえ、最後に必ずピリオドを打ちます。

☞I claim “a sunshade comprising … each other”.

動詞も現在分詞にせざるを得ません。原形や三人称単数現在形を使うと、以下のように文章の途中でピリオドを打って文章を終わらせる必要が生じるため、クレーム全体として一つの文章で完結させることができません。

☞A sunshade comprises a plurality of sunshade blocks …. The plurality of sunshade members are configured …”.

したがって、動詞は現在分詞形を使い、コンマでつなぎ、一つのクレームを一文で構成しています。

☞(I claim) A sunshade comprising a plurality of sunshade blocks, each of which has a plurality of sunshade members aligned in a certain direction, the plurality of sunshade members being configured such that a plurality of light shielding surfaces and a plurality of gaps are arranged three-dimensionally, and …".

【クレームの"ing"は現在分詞？　それとも動名詞？】

動詞の「ing形」といえば、「be動詞＋現在分詞」から成り立つ現在進行形が思い浮かぶでしょう。「現在、～している」という動作を表します。

クレームで使われる動詞のing形も現在分詞ですが、「be動詞＋現在分詞」ではなく、主語の後に現在分詞を置くので、進行形とは異なります。

また、ing形には動名詞もあります。現在分詞と動名詞の区別については、多くの質問が寄せられるテーマなので、非常に簡単な例文で説明します。

① 動名詞

◆水泳は私の趣味である。

☞Swimming is my hobby.

◇上記のように、動名詞はそれ自体が名詞です。上記の例でも"swimming"という動名詞は「泳ぐこと」という名詞です。そして、主語や目的語となっているので、それがなければ文章として成立しなくなってしまいます。

② 現在分詞

◆池で泳いでいる少年は私の息子である。

☞The boy swimming in the pond is my son.

◇上記のように、現在分詞は名詞を修飾します。名詞を修飾しているだけなので、以下のように現在分詞がなかったとしても文章は成り立ちます。

☞The boy is my son.

では、クレームで使われるing形は動名詞と現在分詞のどちらでしょうか？p.135で紹介した「書籍の栞」の発明のクレームで確認してみましょう。

☞A bookmark comprising: a body; and a convex part, wherein the convex part has the shape of any object like a person or an animal.

“comprising”は、それ自体で名詞を構成しているのではなく、名詞を修飾しています。“A bookmark comprising”では、“comprising”は“A bookmark”を修飾して、「～を備える書籍の栞」という意味を表現しています。

したがって、クレームで使われるing形は動名詞ではなく、現在分詞であるといえます。これが分かることにより、「～を備える書籍の栞」を“A bookmark comprising …”のように、“comprising”がその前に置かれている名詞を修飾する英訳が可能になります。そして、これがまさにクレームの文言であり、日本語のクレームもこのような形式で記載されています。

「本体部と、凸部とを備えた書籍の栞であって、上記凸部は、人物や動物等の任意の物の形状と成されていることを特徴とする、書籍の栞」のように、名詞を修飾する表現になっています。

それでは日除け発明のクレームを見てみましょう。

“A sunshade comprising a plurality of sunshade blocks, each of which has a plurality of sunshade members aligned in a certain direction, the plurality of sunshade members being configured such that a plurality of light shielding surfaces and a plurality of gaps are arranged three-dimensionally, and …”.

“comprising”は“sunshade”(日除け)を、“being configured”は“sunshade members”をそれぞれ修飾しています。したがって、“comprising, being”は現在分詞です。

③ 名詞を再度述べて、現在分詞を続けることもある

“A method of adjusting lights comprising …”と表現すべきところを、“A method of adjusting lights, the method comprising ….”のようにコンマを打ち、“the method comprising”のように書き直す場合もあります。

これは、動詞の現在分詞形が直前に位置する名詞を修飾すると誤解されることを防ぐためです。つまり、“comprising”が“lights”を修飾しているというように誤解されることを回避しているのです。

(2)請求項1(「～であって」以降)を英訳する

上記日除け部材が、円形または楕円形の板材を湾曲させた湾曲円状部材を複数用い、各湾曲円状部材をそれぞれの湾曲方向がそろうように配置するとともに、相互の端部同士を連結することによって形成されていることを特徴とする、日除け。

wherein the sunshade member is formed by: using a plurality of curved circular members formed by curving circular or oval plate materials; arranging the curved circular members such that their respective curved directions are aligned; and connecting their ends to each other.

【請求項1(「～であって」以降)の補足】

請求項1	補足
上記日除け部材が、円形または楕円形の板材を湾曲させた湾曲円状部材を複数用い、各湾曲円状部材をそれぞれの湾曲方向がそろうように配置するとともに、相互の端部同士を連結することによって形成されていることを特徴とする、日除け。	日除け部材は、円形や楕円形の板材を湾曲させた湾曲円状部材50からなり、湾曲方向がそろっており、端部同士を連結して形成されている。

冒頭に“wherein”を付加することで「～であって」を表現できます。和文では「～を特徴とする日除け」と結んでいますが、英文では“wherein”の先行詞である冒頭の“sunshade”に戻って文章を結んでいます。

なお、独立項ではwherein節が発明を限定していると解釈されることもあるため、“wherein”を使わずに英訳することが多いです。上記で“wherein”を使わない場合は、“the sunshade member being formed …”となります。

(３)請求項２を英訳する

「課題を解決するための手段」と請求項２を比較してみましょう。

課題を解決するための手段【００２０】	請求項２
また請求項２に記載した日除けは、請求項１の日除けであって、さらに、上記日除けブロックを、それぞれの湾曲凹面を一定の方向にそろえて枠材に複数組み付けてなる複数の日除けユニットと、各日除けユニットを地面から所定の高さに支持する支持構造体とを備えたことを特徴としている。	上記日除けブロックを、それぞれの湾曲凹面を一定の方向にそろえて枠材に複数組み付けてなる複数の日除けユニットと、各日除けユニットを地面から所定の高さに支持する支持構造体とを備えたことを特徴とする請求項１に記載の日除け。
The sunshade described in Claim 2, which is the sunshade according to Claim 1 further comprises : a plurality of sunshade units formed by mounting the plurality of sunshade blocks in a frame material with their respective curved concave surfaces aligned in a certain direction; and a supporting structure which supports the sunshade units at prescribed height from the ground.	The sunshade according to Claim 1 comprising: a plurality of sunshade units formed by mounting the plurality of sunshade blocks in a frame material with their respective curved concave surfaces aligned in a certain direction; and a supporting structure which supports the sunshade units at prescribed height from the ground.

上表のうち、下線部が両者の異なる部分です。課題を解決するための手段【００２０】の英文の下線部を修正すれば、請求項２の英文は完成します。

(４)請求項３を英訳する

「課題を解決するための手段」と請求項３を比較してみましょう。

課題を解決するための手段【００２１】	請求項３
また請求項３に記載した日除けは、請求項１の日除けであって、さらに、上記日除けブロックを、それぞれの湾曲凹面を一定の方向にそろえて枠材に複数組み付けてなる	上記日除けブロックを、それぞれの湾曲凹面を一定の方向にそろえて枠材に複数組み付けてなる複数の正置ユニットと、上記日除けブロックを裏返した状態で枠材

複数の正置ユニットと、枠材に複数組み付けてなる複数の正置ユニットと、上記日除けブロックを裏返した状態で枠材に複数組み付けてなる複数の倒置ユニットと、各正置ユニット及び倒置ユニットを地面から所定の高さに支持する支持構造体とを備え、上記正置ユニット及び倒置ユニットは、上記支持構造体上において互い違いに配置されていることを特徴としている。	に複数組み付けてなる複数の倒置ユニットと、各正置ユニット及び倒置ユニットを地面から所定の高さに支持する支持構造体とを備え、上記正置ユニット及び倒置ユニットは、上記支持構造体上において互い違いに配置されていることを特徴とする請求項１に記載の日除け。
The sunshade described in Claim 3 which is the sunshade according to Claim 1 further comprises: a plurality of normally-placed units formed by mounting the plurality of sunshade blocks in a frame material with their respective curved concave surfaces aligned in a certain direction; and a plurality of inverted units formed by mounting the plurality of sunshade blocks in a frame material with the sunshade blocks turned upside down and; a supporting structure which supports the normally-placed units and the inverted units at prescribed height from the ground, wherein the normally-placed units and the inverted units are arranged alternately on the supporting structure.	The sunshade according to Claim 1 comprising: a plurality of normally-placed units formed by mounting the plurality of sunshade blocks in a frame material with their respective curved concave surfaces aligned in a certain direction; and a plurality of inverted units formed by mounting the plurality of sunshade blocks in a frame material with the sunshade blocks turned upside down and; a supporting structure which supports the normally-placed units and the inverted units at prescribed height from the ground, wherein the normally-placed units and the inverted units are arranged alternately on the supporting structure.

課題を解決するための手段【００２１】の英文の下線部を修正するだけで、請求項３の英文は完成します。

（５）請求項４を英訳する

「課題を解決するための手段」と請求項４を比較してみましょう。

課題を解決するための手段【００２２】	請求項４
請求項４に記載した日除けは、請求項２または３の日除けであって、さらに、上記枠材と支持構造体との間に、各日除けブロックを地面に対して所定の傾斜角度で載置固定するための傾斜手段が設けられていることを特徴としている。	上記枠材と支持構造体との間に、各日除けブロックを地面に対して所定の傾斜角度で載置固定するための傾斜手段が設けられていることを特徴とする請求項２または３に記載の日除け。
The sunshade described in Claim 4, which is the sunshade according to Claim 2 or 3 further comprises an inclination means for placing and fixing the sunshade blocks at a prescribed inclination angle relative to the ground between the frame materials and the supporting structure.	The sunshade according to Claim 2 or 3 comprising an inclination means for placing and fixing the sunshade blocks at a prescribed inclination angle relative to the ground between the frame materials and the supporting structure.

課題を解決するための手段【００２２】の英文の下線部を修正するだけで、請求項４の英文は完成します。

3．要約を英訳する
Translate Abstract into English

要約は発明の概要を説明する書面です。

まず、発明の「課題」を簡潔に述べ、何を目的として、何を実現するかを述べます。「～の実現」「～を実現する」「～の提供」「～を提供する」という文体で記載します。これらには述語の主語が書かれていないことも多いため、“Attaining, Realizing, Providing”などの動名詞や“To attain, To realize, To provide”などto不定詞で文章を始めます。

次に「解決手段」を述べます。これは課題を達成するための手段であるため、多くの場合、請求項の記載と重複する場合が多いです。日除け発明も請求項1とほぼ同一記載になっています。

（1）要約の【課題】を英訳する

ここは発明が解決しようとする課題【０ ０ １ ８】とほぼ同一の記載です。以下のとおり比較してみましょう。

課題が解決しようとする課題【００１８】	要約
この本発明は、上記課題を解決するため、太陽光が強い時間帯や季節がずれても、日除け性能が低下しにくい日除け構造を提供することを目的とする。	【課題】 太陽光が強い時間帯や季節がずれても、日除け性能が低下しにくい日除け構造を提供する。
In order to solve the aforementioned problems, the present invention aims at providing a sunshade structure which barely decreases sunshade performance even in time zones or seasons when sunlight is not intense.	【Problem】 Providing a sunshade structure which barely decreases sunshade performance even in time zones or seasons when sunlight is not intense.

課題が解決しようとする課題【０ ０ １ ８】の英文の下線部を修正するだけで、要約の【課題】の英文は完成します。

(2) 要約の【解決手段】を英訳する

ここは請求項1とほぼ同一の記載になっています。

請求項1	要約
複数の遮光面と複数の隙間が三次元的に配置され、所定の遮光角度から観察した場合に上記の各隙間が背後に配置された各遮光面によってほぼ塞がれた状態に見える構造を備えた複数の日除け部材を、一定の方向にそろえて配置した日除けブロックを複数備えた日除けであって、上記日除け部材が、円形または楕円形の板材を湾曲させた湾曲円状部材を複数用い、各湾曲円状部材をそれぞれの湾曲方向がそろうように配置するとともに、相互の端部同士を連結することによって形成されていることを特徴とする日除け。	【解決手段】 複数の遮光面と複数の隙間が三次元的に配置され、所定の遮光角度から観察した場合に上記の各隙間が背後に配置された各遮光面によってほぼ塞がれた状態に見える構造を備えた複数の日除け部材を、一定の方向にそろえて配置した日除けブロックを複数備えた日除けであって、日除け部材が、楕円形の板材を湾曲させた湾曲円状部材50を複数用い、各湾曲円状部材50をそれぞれの湾曲方向がそろうように配置するとともに、相互の端部同士を連結することによって形成された基本構成ブロック52よりなることを特徴とする日除け80。
A sunshade comprising a plurality of sunshade blocks, each of which has a plurality of sunshade members aligned in a certain direction, the plurality of sunshade members being configured such that a plurality of light shielding surfaces and a plurality of gaps are arranged three-dimensionally, and when observed from a prescribed light shielding angle, the gaps appear to be substantially blocked by their respective light shielding surfaces that are arranged behind the gaps, wherein the sunshade member is	【Solution】 A sunshade 80 comprising a plurality of sunshade blocks, each of which has a plurality of sunshade members aligned in a certain direction, the plurality of sunshade members being configured such that a plurality of light shielding surfaces and a plurality of gaps are arranged three-dimensionally, and when observed from a prescribed light shielding angle, the gaps appear to be substantially blocked by their respective light shielding surfaces that are arranged behind the gaps, wherein the sunshade

formed by: using a plurality of curved circular members formed by curving circular or oval plate materials; arranging the curved circular members such that their respective curved directions are aligned; and connecting their ends to each other.	member consists of a basic component block 52 formed by: using a plurality of curved circular members 50 formed by curving oval plate materials; arranging the curved circular members 50 such that their respective curved directions are aligned; and connecting their ends to each other.

請求項1の英文の下線部“circular or”を削除し、【解決手段】の英文の下線部を追加すれば、要約の英文がすべて完成します。なお、要約の最後の「【選択図】図1」は、“【Selected Drawing】FIG. 1”としていただければ結構です。初出は「要約」であらためて判断します。

MOMOcolumn

「or(または)の別の意味」

“or”には「すなわち」の意味もあり、“Okuda International Patent Office, or Okuda I.P.O.”のように表記できます。これを知らないと、「奥田国際特許事務所または奥田 I.P.O」のように2つを別の機関だと思い、誤訳してしまいます。この意味で“or”を使うときは、“or”の前にコンマを付すと聞いていたのですが、コンマを付さない表記をよく見かけます。翻訳をするようになってから、“or”ときたら、まず「すなわち」の意味を疑うようになりました。

リスニングでは、たとえコンマがあってもそれを聞き取ることはできません。“or”の前後の言葉が同じようなものであったり、一方が略称であったりするときは、「すなわち」の意味かどうかを瞬時に判断しなければならないので大変です。

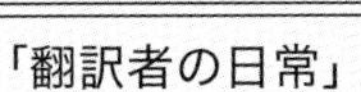

① 翻訳は一晩寝かす

翻訳の期限は「●日の正午まで」ということが多いですが、前の晩に翻訳とチェックが終わっていても急いで納品せず、翌朝に再度チェックします(チェックは5回が理想的)。「一晩寝かす」と、誤訳や訳抜けを発見することが多いからです。

② 用語リスト

翻訳に使用した用語を「原文と訳語」のペアで用語リストを作成します。これを翻訳とともに提出するだけでなく、自分の財産として蓄積しておきます。

Grammerly®には単語登録する機能があります。時間のあるときにこれらの単語帳を作成しておきます。

③ フィードバック

多くの仕事は納品したらそれで終わりなのですが、修正指示や追加翻訳を依頼されることがあります。次回の参考として、翻訳のフィードバックがされることもあります。このような仕事は「手離れが悪い」と言われます。

④ 最も簡単な翻訳の営業

フリーランス翻訳者が名刺を持って企業を訪ねて営業することは、まずありません。自分のWebサイトやブログなどで宣伝したり、翻訳会社に登録したりするのも仕事を獲得する方法の一つ。以下は翻訳者の登録サイトや団体です。

・翻訳者ディレクトリ(https://www.translator.jp)
・日本翻訳連盟(https://www.jtf.jp)
・American Translators Association (ata)
(https://www.atanet.org)

※「ata」は世界中の翻訳・通訳者の団体です。毎年国際会議が開催されています。

第4章

特許翻訳に必要な知識のまとめ

Summary of Knowledge Required for Patent Translation

翻訳者は、言葉の置き換えに終始していればよいのではなく、言葉の意味や背景を考えながら翻訳する必要があります。小説を翻訳する際に外国の文化を知る必要があるのと同様です。

また、特許翻訳者は、拒絶理由通知やオフィスアクションなどの「中間書類」といわれる文書を訳すことがあり、これらの書類に登場する専門用語を知っておかなければなりません。さらに、翻訳対象が特許の流れのどこに位置しているかを常に確認しながら訳すことが必要です。

本章では特許翻訳者が知っておくべき特許の知識(「特許要件」「特許出願～特許発行の流れ」「外国出願(パリ条約とPCT)」「特許翻訳のルール」「クレームの種類」「特許翻訳のルール」)について、コンパクトにまとめています。

なお、「既に外国出願や特許要件は知っている」という方は、本章を読み飛ばしてください。

1．翻訳者が知っておくべき特許要件
Patent Requirements Translators should know

(1) 明細書の記載要件（特許請求の範囲の明確性）

特許法には、「特許を受けようとする発明が明確であること」が規定されています（36条６項２号）。請求の範囲に記載された発明につき、新規性や進歩性の判断がされ、将来、この部分に記載の発明に特許が付与されるからです。審査基準には以下の例が挙がっています。

請求項記載の用語を当業者が理解できない場合（例：KM-Ⅱ触媒／明細書に定義が記載されておらず、技術常識でもない）、発明特定事項に技術的欠陥がある場合（例：40～60質量％のＡ成分と、30～50質量％のＢ成分と、20～30質量％のＣ成分からなる合金／すべての成分を合計すると100％を超えている）、発明のカテゴリーが不明確な場合（例：～する方法または装置）など。

(2) サポート要件

請求の範囲が明細書に根拠づけられている必要があるというのがサポート要件です。明細書は発明を開示する書面であり、ここに開示した事項から特許請求する発明を抽出し、請求の範囲に記載します。“support”には「裏付ける、根拠づける」という意味があります。審査基準には以下の例が挙がっています。

請求項と明細書で用語不統一（例：請求項の「データ処理手段」が、発明の詳細な説明中の「文字サイズ変更手段」と「行間隔変更手段」のいずれかまたは双方を指すのかが不明）、請求項が明細書に記載した事項を超えて特許を請求する場合（例：請求項には「アクセルペダルを踏み込むのに要する力を積極的に大きくする機構」のみが記載され、明細書には「アクセル操作のための力を可変とする操作力可変手段」のみが記載されている）など。

(3) 発明の単一性

１つの出願には１つの発明を記載するのが原則です。しかし、「２以上の発明が同一の又は対応する特別な技術的特徴を有している」場合は、単一性を有する場合があります（特許法37条、特許法施行規則25条の８第１項）。

発明は先行技術に対する貢献であり、この貢献が同一または対応する２以上の発明である場合は単一性があり、１つの出願に含めることができます。

以下は審査基準に記載されている例です。

「［請求項１］高分子化合物Ａ（酸素バリアー性のよい透明物質）

［請求項２］高分子化合物Ａからなる食品包装容器。

高分子化合物Ａが先行技術に対する貢献をもたらす特別な技術的特徴である。請求項１及び２に係る発明は、いずれもこの技術的特徴を有しているから、同一の特別な技術的特徴を有する」

（４）新規事項追加の禁止

特許法17条の２第３項には「…明細書、特許請求の範囲又は図面について補正をするときは、…願書に最初に添付した明細書、特許請求の範囲又は図面…に記載した事項の範囲内においてしなければならない」と記載されており、当初の明細書や図面等に記載されていない事項を補正により請求の範囲に追加することは禁止されています。

しかし、当初の明細書や図面等から自明な事項を追加することが認められる場合があります。以下は審査基準に記載されている例です。

「当初明細書等には、弾性支持体を備えた装置が記載されているのみで、特定の弾性支持体について開示されていない。しかし、当業者であれば、出願当初の図面の記載及び出願時の技術常識からみて、『弾性支持体』は『つるまきバネ』を意味していることが自明であると理解するという場合は、『弾性支持体』を『つるまきバネ』にする補正が許される」

（５）進歩性

従来の技術から容易に発明することができた場合、「進歩性なし」と判断されます。拒絶理由通知には、引例として先行技術文献（出願公開公報、雑誌記事、Webサイトなど）が列記されます。

特許法29条１項では「新規性がない発明」として、以下を挙げています。

ａ）公知発明：特許出願前に日本国内又は外国において公然知られた発明

ｂ）公用発明：特許出願前に日本国内又は外国において公然実施された発明

c）刊行物記載発明：特許出願前に日本国内又は外国において頒布された刊行物に記載された発明又は電気通信回線を通じて公衆に利用可能となった発明

これらの新規性なき発明から容易に想到することができる発明は、進歩性がないとされています（同条２項）。以下は審査基準に記載されている例です。

「［請求項］　　　握り部に栓抜き部が備えられた調理鋏。
［主引用発明］　握り部に殻割部が備えられた調理鋏。
［副引用発明］　握り部に栓抜き部が備えられたペティーナイフ。

調理鋏やナイフ等の調理器具において多機能化を図ることは、調理器具における自明の課題であり、主引用発明と副引用発明との間で課題は共通している」

注）上記審査基準の引用中、下線は著者による。

審査基準にはさらに、本発明と引例の相違点が以下に該当することにより、進歩性否定の方向に働くことが規定されています。「公知材料の中からの最適材料の選択、数値範囲の最適化又は好適化、均等物による置換、設計変更や設計的事項の採用、先行技術の単なる寄せ集め」。これらはいずれも当業者の通常の創作能力の発揮にすぎないからです。

（６）新規性

請求項に記載の発明が「（５）進歩性」で掲げた「a）公知発明、b）公用発明、c）刊行物記載発明」と同一である場合は、新規性なしと判断されます。

（７）先願性

同一発明について複数の出願があった場合、先の出願が優先されます（先願主義／特許法39条）。同一発明とは、請求の範囲に記載されている発明が同一であることですが、完全同一はもとより、実質同一にも先後願が適用されます。

a）周知技術や慣用技術を付加、削除、転換等したにすぎず、新たな効果を奏するものではないこと

b）後願が先願の上位概念であるとき

c）先願と後願がカテゴリー表現上の違いにすぎないとき（物の発明と方法の発明の差異）

（8）拡大された先願の地位

先願主義では請求の範囲同士を比較して先願／後願を決定しますが、明細書や図面にまで先願の地位を拡大させる規定が特許法29条の２です。

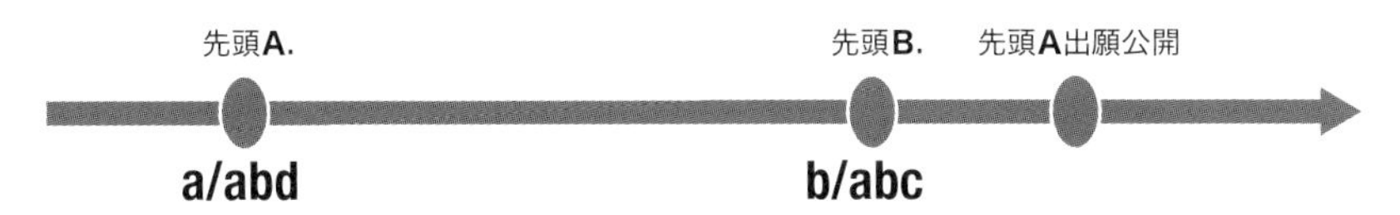

「（7）先願性」で説明したように、請求の範囲に記載されている発明が同一である出願同士で先願後願を判断し、先願が優先して特許を受けられます。

しかし、先願の明細書、図面に記載の発明「ａｂｄ」と後願の請求の範囲に記載の発明「ｂ」を比較して、先願のｂと後願のｂが同一であるから後願を拒絶する、というのが「拡大された先願の地位」の規定です。

しかも、後願の出願後に先願が出願公開または特許が発行されて公報に掲載されることが条件です。すなわち、以下のような状況の場合、先願は拡大された先願の地位を有するとして、後願は拒絶されます。

① 先願の出願時の明細書に記載の発明ｂが後願の請求の範囲に記載の発明ｂと同一である

② 後願の出願後に先願が出願公開または特許が発行されて公報に掲載されている

これは、先願は出願公開等されれば請求の範囲、明細書、図面も公知になるため、たとえ後願の出願後に出願公開等されたとしても後願は新しい技術を公開するものではないからです。

① 請求の範囲同士は同一ではないが、先願の明細書のｂと後願の請求の範囲ｂが同一の場合

➢ この点で「先願性」の例外規定（先願性は請求の範囲同士を比較する）

② 先願は後願の出願後に出願公開されている

➢ この点で「新規性」の例外規定（新規性は出願時を基準として判断されるが、「拡大された先願の地位」は後願の出願後に先願が出願公開等されているにもかかわらず適用される）

ただし、先願と後願の発明者が同一もしくは後願出願時の出願人が同一である場合、この規定は適用されません。

2. 国内出願の流れ
Domestic Application Process

日本国内で出願された発明は、以上のような流れで特許になります。

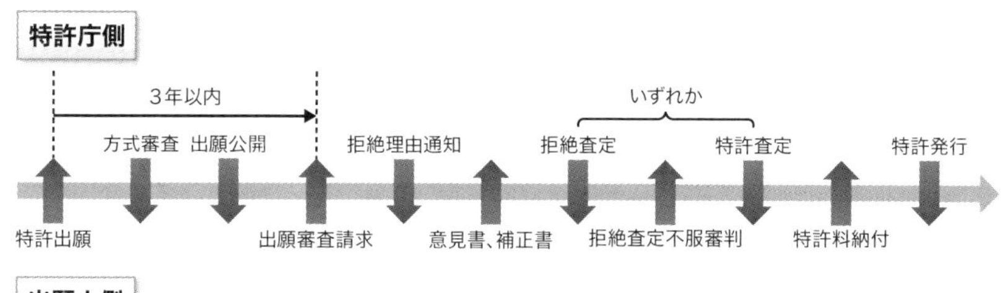

a）特許出願：特許請求の範囲、明細書、図面（任意）、要約を特許庁に提出する（通常はインターネット出願）。

b）方式審査：日本語で記載されていること、手数料が支払われていることなどの方式的要件を特許庁審査官が審査する。

c）出願公開：出願から１年６カ月後に、出願公開公報に特許請求の範囲や明細書、図面、要約を掲載して発行する。

d）出願審査請求：これにより新規性や進歩性などの審査（実体審査）が開始される。出願人は出願から３年以内に審査請求を行わなければならない。これをしない出願は取り下げたものとみなされる。

e）拒絶理由通知：実体審査で進歩性欠如などが発見された場合、審査官から出願人に拒絶理由通知がされる。拒絶理由は複数回来る場合もある。例えば、１回目は進歩性欠如、２回目は明細書の記載不備など。

f）意見書、補正書：拒絶理由に該当しないことを主張する書面（意見書）と請求の範囲や明細書等を補充・訂正する書面（補正書）を提出する。

意見書と補正書の双方を提出するのが一般的。例えば進歩性欠如の場合、引例と差別化するために明細書の記載事項を請求の範囲に追加する。

g）拒絶査定：拒絶理由が覆らなかった場合は、拒絶査定となる。

h）特許査定：意見書や補正書により拒絶理由が解消した場合は、特許査定が下される。拒絶理由通知がされず、ストレートで特許査定が下されることもある。特許料を納付すると特許が成立する。

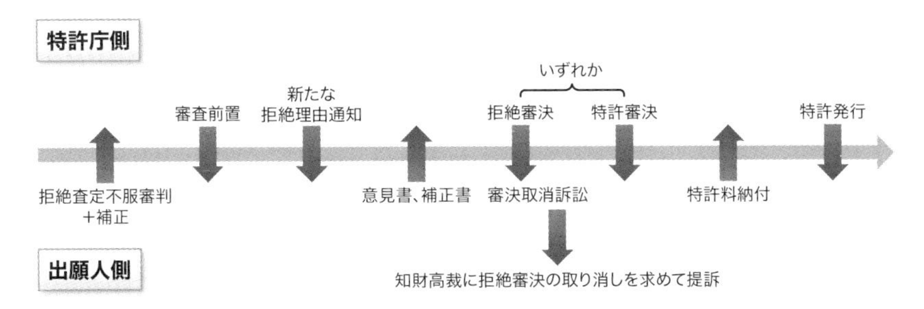

i）拒絶査定不服審判：拒絶査定に対して３カ月以内に不服の審判を請求する。これを請求しないと拒絶査定が確定する。審判の審理で新たな拒絶理由が見つかった場合には通知され、意見書や補正書を提出できる。

j）審査前置：拒絶査定不服審判請求の際には補正が可能であり、この補正の適否は拒絶査定を行った審査官が審査する（出願内容を熟知しているため）。この結果、審査官が特許してもよいと判断した場合は特許査定、拒絶が覆らない場合は、拒絶査定不服審判の審理を開始する。

k）拒絶審決：拒絶査定不服審判の審理の結果、拒絶を覆すことができなければ拒絶審決が出される。これに対して出願人は知財高裁に取消訴訟を提起できる。この訴訟の判決に対して最高裁に上告可能。

l）特許審決：拒絶査定不服審判の審理の結果、拒絶が解消した場合は特許審決が出され、特許料を納付すれば特許が成立する。

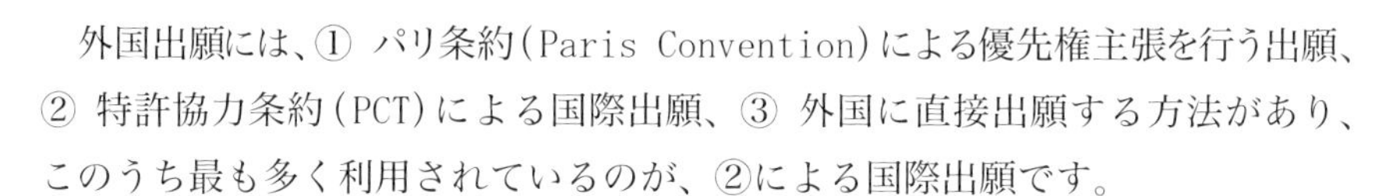

３．外国出願の流れ
Foreign Application Process

外国出願には、① パリ条約(Paris Convention)による優先権主張を行う出願、② 特許協力条約(PCT)による国際出願、③ 外国に直接出願する方法があり、このうち最も多く利用されているのが、②による国際出願です。

(１)パリ条約による外国出願

外国に出願する際には、複数国に出願することが多く、パリ条約の優先権を主張してPCTによる国際出願をするのが通常です。

① パリ条約とは？

1883年に締結された工業所有権保護のための条約であり、日本、米国、中国、韓国、ドイツ、フランス、イタリアなど約180カ国が加盟しています。ウイーン万国博覧会で模倣品の混在が多発し、パリ万博では展覧会出品の発明は保護されるべきとの認識が高まり、パリ条約が締結されました。その後、改正が繰り返され、現在は30の条文から成り立っています。

パリ条約には、ａ)内国民待遇の原則(２条)、ｂ)特許独立の原則(４条の２)、ｃ)優先権(４条)という三大原則があります。特許独立の原則により、各国の特許は互いに独立しており、１つの国の特許が消滅したからといって、他国の特許が消滅することはありません。また、属地主義により、特許権の効力はその国の領域内にしか及ばないため、日本企業が外国で特許権を行使するには、日本国のみならず、外国にも出願する必要があります。

② パリ条約の優先権主張

ｉ)優先権とは？

同盟国にされた出願(第１国出願)を基礎として優先権を主張し、優先期間(特許と実用新案は１年、意匠と商標は６カ月)以内に他の同盟国に出願することにより、他の同盟国における新規性や進歩性等は、第１国出願時を基準に審査してもらえるというパリ条約の特別利益です(４条Ｂ)。

ii）優先権の趣旨

外国出願は、言語や法制度、手続きなどが異なるため時間と労力がかかります。現地の代理人を探して明細書などの出願書類を翻訳する必要もあります。現在はインターネットで代理人や法制度などの情報を瞬時に調べることも可能ですが、以前は文献を参照してレターで連絡していました。

現地に知り合いの代理人がいない場合、同業者に代理人を紹介してもらうこともありますが、その場合、現地の者がその国に出願するよりも時間と労力の面で不利になり、不平等が生じます。これはパリ条約の「内国民待遇の原則」（工業所有権の保護に関しては、内国民と外国人を同等に扱う原則〈２条〉）に反するものです。この問題を解決するために、優先権が設けられました。

iii）優先権の効果

優先権は出願の猶予期間を与えるようなものです。例えば、日本企業が韓国に一刻も早く出願したいが、明細書等の翻訳に時間がかかるという場合、日本の特許出願を基に優先権を主張して韓国に出願すれば、翻訳文を準備する猶予（１年以内）ができます。

韓国では日本出願時を基準に新規性や進歩性が判断されるため、この１年間で発明が公知になっても、新規性を失ったことにはなりません。逆に韓国等の外国人が自国の出願を基に日本に優先権主張することもできます。

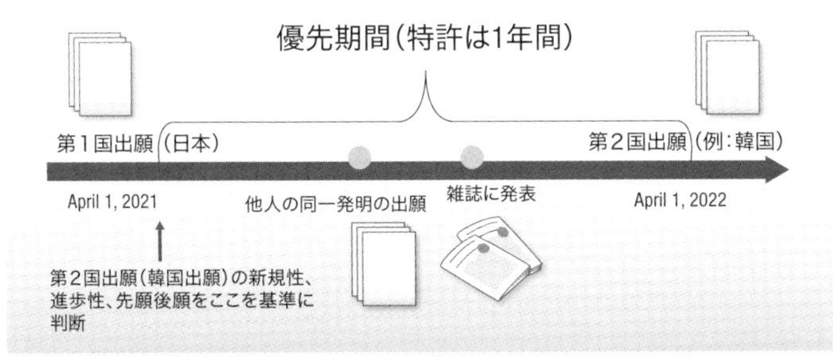

このように、出願人に利益を与える制度であるため、優先権が発生するための要件、優先権を主張するための要件がパリ条約に規定されています。

iv）優先権の発生要件（パリ条約４条A、C、Ｉ）

① 同盟国民、準同盟国民の出願であること、② いずれかの同盟国であること、③ 特許、実用新案、意匠、商標、発明者証の正規かつ最先の出願をしたこと。

v）優先権の主張要件（パリ条約４条A、C、D、E、F、G、H）

① 第１国出願と第２国出願との主体同一（第１国出願の出願人またはその承継人が第２国出願すること）、② 客体の同一（実質的に同一であること）、③ 優先期間（特許の場合は１年間）内に第２国出願をすること、④ 優先権主張の手続き（優先権主張の申立てと優先権証明書の提出）を執ること。

（２）特許協力条約（PCT）による国際出願

PCTには特許の国際出願が規定されており、155カ国が加盟しています（令和４年２月時点）。日本も加盟国であるため、日本特許庁に国際出願の願書を提出して国際出願することが可能であり、逆に外国の出願人が外国特許庁を経由して国際出願を行う場合には、日本が指定国に含まれています。

日本国民又は日本国に住所又は居所（法人にあっては営業所）を有する外国人は、日本の特許庁を受理官庁（Receiving Office）として、日本語又は英語の国際出願を行うことができます（国際出願法２条、国際出願法施行規則12条）。

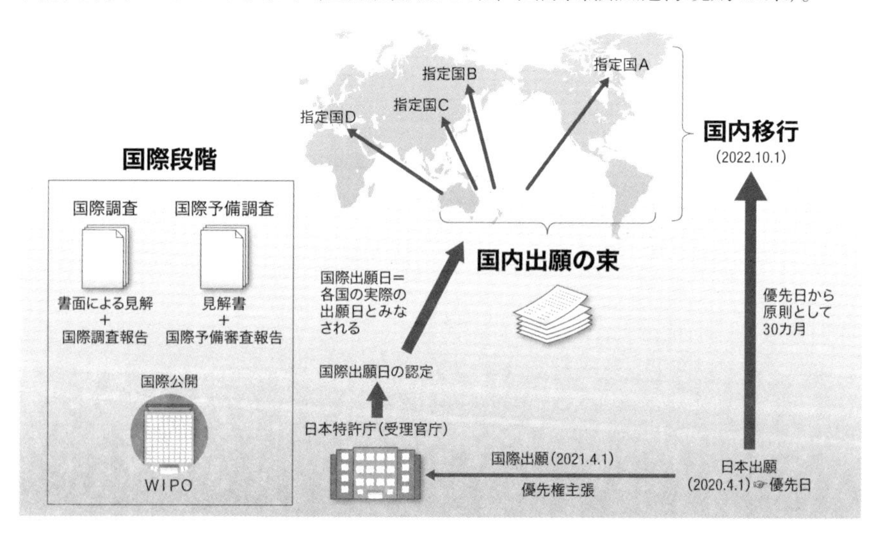

① 受理官庁への国際出願の提出と国際出願日の認定

国際出願を受理する官庁のことを「受理官庁」といいます。通常は自国の特許庁であり、日本人の出願人(例えば日本企業)は日本の特許庁に国際出願します(あるいは、国際事務局〈ジュネーブ〉に国際出願することもできる)。受理官庁は国際出願日を認定します。国際出願日が指定国(Designated States)における実際の出願日とみなされ、国際出願日から各指定国における正規の国内出願の効果を有します〈PCT11条(3)〉。

例えば、日本特許庁に日本語で国際出願すれば、全加盟国に同時に国内出願したことになり、国際出願日は各国における実際の出願日とみなされます。この点でPCTによる国際出願は「国内出願の束」ともいわれています。

ⅰ)国際出願日の認定要件

受理官庁は、以下の要件が満たされているかどうかを確認することを条件として、「国際出願日」を認定します〈PCT11条(1)〉。

a)国際出願が所定の言語で作成されていること
b)国際出願をする意思の表示
c)少なくとも一の締約国の指定
d)出願人の氏名又は名称の所定の表示
e)明細書、請求の範囲であると外見上認められる部分

ⅱ)補充命令

国際出願日の認定要件を満たしていなかった場合、受理官庁は補充するように求め、補充が受理された日が国際出願日となります〈PCT11条(2)〉。

② 記録原本の送付

受理官庁は国際出願の1通を自ら保持し、1通を国際事務局(International Bureau)に送付します。これは国際出願の正本となり、記録原本(Record Copy) と呼ばれます〈PCT12条(1)(2)〉。

③ 国際調査

各国際出願は、国際調査機関（International Searching Authority）によって国際調査が行われます（PCT15条）。ここでは当該国際出願に関連がある先行技術がリストアップされます。調査結果として発行される国際調査報告には、既に存在する世界各国の公報等が挙げられています。

一方、国際予備審査は、出願人の国際予備審査請求により、国際予備審査機関（International Preliminary Examining Authority）が新規性や進歩性、産業上の利用可能性の有無という実体に踏み込んだ審査を行います。

ｉ）国際調査機関

総会が選定します。国内官庁は一定の要件を満たしていれば国際調査機関として選定されることができます〈PCT16条（3）〉。日本特許庁にされた国際出願は、① 日本特許庁、② 欧州特許庁、③ シンガポール知的所有権庁、④ インド特許庁が国際調査機関になることができます（日本特許庁にされた国際出願が英語であった場合に限り、上記②、③、④は国際調査機関になれる）。

ⅱ）国際調査報告が作成されない場合

国際調査機関は、以下に該当する場合、国際調査報告を作成しない決定を下す場合があります〈PCT17条（2）、PCT規則39.1〉。

ａ）国際出願の対象が調査を要しないものであるとき

科学及び数学の理論、植物及び動物の品種、植物及び動物の生産の本質的に生物学的な方法（微生物学的方法及び微生物学的方法による生産物は除く）、事業活動、純粋に精神的な行為の遂行、遊戯に関する計画、法則、方法など（PCT規則39.1）。

ｂ）明細書、請求の範囲、図面が有意義な調査を行うことができる程度にまで所定の要件を満たしていないとき〈PCT17条（2）（ⅱ）〉

国際調査報告が作成されない発明に関する請求の範囲は、国際予備審査の対象とすることを要しないとされています〈PCT規則66.1（e）〉。しかし、国際調査報告が作成されない旨の宣言と同時に、国際調査機関の書面による見解は発行されます（PCT規則43の2.1）。

iii）国際調査のための期間

国際調査報告又はこれを作成しない旨の宣言を作成するための期間は、優先日から９カ月又は国際調査機関による調査用写しの受領から３カ月のいずれか遅く満了する期間と定められています（PCT規則42.1）。

調査用写しは、原則として遅くとも記録原本が国際事務局に送付される日と同じ日に受理官庁が国際調査機関に送付し（PCT規則23.1）、受理官庁は、いかなる場合にも、優先日から13カ月を経過する時までに国際事務局に到達するように記録原本を送付します（PCT規則22.1）。

例えば、調査用写しが優先日から13カ月後に国際調査機関に到達する場合は、国際調査報告は遅くとも優先日からほぼ16カ月までに作成されることとなります。国際調査報告は先行技術文献のみを列記しますが、新規性や進歩性、産業上の利用可能性の有無を記載する「書面による見解」が発行されます。

iv）国際調査機関の書面による見解の内容

① 請求の範囲に記載されている発明が新規性や進歩性、産業上の利用可能性を有すると認められるかどうか、② 国際出願が国際調査機関の点検した範囲内で、条約や規則に定める要件を満たしているかどうかを記載します〈PCT規則43の2.1（a）〉。新規性等を満たすか否かは、「是」「非」、これらの同義語を記載することが規定されています〈PCT規則43の2.1（b）、70.6（a）〉。日本特許庁が国際調査機関となる場合は、「有」「無」の語が記載されます。

新規性や進歩性、産業上の利用可能性のいずれかに適合していない場合は、否定的な見解が記載され、いずれかの基準に適合している場合は、適合している基準が明記されます〈PCT規則43の2.1（a）、70.6（b）〉。

ただし、発明が国内法令により特許を受けることができるか（または受けることができると思うか）否かについては、いかなる陳述もしてはならないことが規定されています〈PCT規則43の2.1（b）、PCT35条（2）〉。あくまで国際段階における調査見解であり、特許を受けられるか否かは各国の審査によるからです。

国際調査報告で引用されているか否かにかかわらず、上記記述を裏付けるために関連があると認められる文献を列記します〈PCT規則43の2.1（b）、70.7（a）〉。これにより、出願人は発明の特許性をある程度は把握できます。

ｖ）特許性に関する国際予備報告

国際予備審査報告が作成された、または作成予定である場合を除き、国際調査機関の書面による見解と同一内容の「特許性に関する国際予備報告（特許協力条約第１章）」が作成され、出願人に送付されます（PCT規則44の2.1）。国際予備審査がされなければ、これが国際段階での最終的な見解となります。

vi）日除け発明の国際調査例

「日除け」の特許出願は実際に国際出願されており、国際調査において以下のように肯定的な結果が得られています。

この国際出願の請求項１～４はすべて新規性や進歩性、産業上の利用可能性が「有」と判断されています。「国際調査報告で挙げられた文献に対して新規性及び進歩性を有する」との審査官の見解が記載されています。

つまり、国際調査では１件の先行文献が挙げられましたが、この文献からみても新規性や進歩性はあることを意味しています。

新規性（N）	請求項 1～4	有
	請求項	無
進歩性（IS）	請求項 1～4	有
	請求項	無
産業上の利用可能性（IA）	請求項 1～4	有
	請求項	無

したがって、この「日除け」の国際出願は各指定国で審査を受け、特許される可能性が高く、国際出願を継続する意味が十分にあるといえるでしょう。

国際調査報告では「関連すると認められる文献」の欄に先行技術文献が列記されます。各文献にはどの程度関連する文献であるかを示す記号が付されますが、審査官のコメントは記載されません。国際調査は先行文献の列記にとどまるからです。

C.関連すると認められる文献		
引用文献のカテゴリー	引用文献名、及び一部の箇所が関連するときは、その関連する箇所の表示	関連する請求項の番号
A	JP 5763977 B2（NEXT株式会社）2015.08.12．段落0041～0067、図1～16（ファミリーなし）	1～4

新規性や進歩性、産業上の利用可能性についての審査官の見解は「国際調査機関の書面による見解」に記載されます。「日除け」の国際出願では前述したように、１件の文献（特許第5763977号）が挙げられました。

この文献の段落番号と図面番号が併記されていますが、「引用のカテゴリー」の「Ａ」は、「特に関連ある文献ではなく、一般的技術水準を示すもの」を意味するため、この文献を基に「新規性・進歩性なし」と判断されることはなく、「書面による見解」でも同様の見解が示されています。

ⅶ）国際調査報告又はこれを作成しない旨の宣言、書面による見解の言語

これらは原則として国際公開の言語で作成されます（PCT規則43.4）。しかし、国際調査報告又はこれを作成しない旨の宣言が英語でない場合、英語に翻訳されます（PCT規則45.1）、翻訳文の作成は国際事務局により又はその責任において作成されます〈PCT18条(3)〉。

「日除け」は日本特許庁を受理官庁として日本語で国際出願しており、国際調査報告や書面による見解も日本語なので、英語の翻訳文を作成しています。

④ PCT19条による補正（19条補正）

出願人は、国際調査報告が発行された後に請求の範囲（明細書は含まず）についてのみ、１回に限り補正することができます。請求の範囲を完全に差し替える方式で行います〈PCT規則46.5(a)〉。補正及び補正が明細書や図面に与える影響についての簡単な説明書も提出します〈PCT19条(1)〉。

国際調査報告の国際事務局及び出願人に対する送付の日から２カ月以内、または優先日から16カ月以内のいずれか遅く満了する期間まで、19条補正が可能です（PCT規則46.1）。国際出願が国際公開の言語以外でされた場合は、19条補正は国際公開の言語で行います（PCT規則46.3）。

⑤ 国際予備審査

より実体に踏み込んだ国際予備審査は、出願人が請求した場合にのみ行われます。出願人は国際予備審査報告作成前にPCT34条による補正（いわゆる「34条補正」）が可能となります。

これは請求の範囲のみならず、明細書や図面について何回でも行うことができる補正です。なお、「日除け」の国際出願は国際調査の結果が肯定的であったため、国際予備審査請求はしていません。

i）国際予備審査の結果を利用する国（選択国）

国際予備審査請求書には、選択国（国際予備審査の結果を利用することを出願人が意図する締約国）を表示します。そして選択国は国際事務局に届け出ることにより、後から追加することもできます〈PCT31条(4)(a),(6)(b)〉。

しかし、「選択」といっても、国際予備審査の請求書を提出することにより、国際予備審査の規定（PCT第2章）に拘束されるすべてのPCT締約国を選択したものとみなされます（PCT規則53.7）。

ii）国際予備審査機関

第2章に拘束される国の居住者又は国民がそのような締約国の受理官庁又はそのような締約国のために行動する受理官庁に国際出願して国際予備審査請求した場合は、受理官庁が国際予備審査機関を指定します〈PCT32条(2)〉。

日本特許庁に国際出願する場合、日本特許庁、欧州特許庁、シンガポール知的所有権庁、インド特許庁が国際調査機関や国際予備審査機関となります。

ただし、国際調査機関と国際予備審査機関は同一機関であるため、日本特許庁が国際調査機関となった場合は、国際予備審査機関も日本特許庁です（欧州特許庁、シンガポール知的所有権庁、インド特許庁についても同様）。

iii）国際予備審査請求の期間

国際調査報告又はこれが作成されない旨の宣言、及び国際調査機関の書面による見解の送付から3カ月又は優先日から22カ月のうち、いずれか遅く満了する期間内に行います〈PCT規則54の2.1(a)〉。

例えば、国際調査報告と書面による見解が優先日から16カ月後に作成された場合、国際予備審査請求は優先日から22カ月までに行う必要があります。

iv）国際予備審査の開始

原則として、① 国際予備審査の請求書、② 取扱手数料及び予備審査手数料の全額、③ 国際調査報告又はこれを作成しない旨の宣言＋書面による見解のすべてを国際予備審査機関が受領した場合に、国際予備審査が開始されます〈PCT規則69.1(a)〉。

v）国際調査機関の書面による見解の作成省略

国際調査機関と国際予備審査機関が同一であるときは、一定の条件下で国際調査と国際予備審査を同時に開始することができ〈PCT規則69.1(b)〉、このとき、請求の範囲が新規性や進歩性、産業上の利用可能性の基準を満たしているなど国際調査の結果が肯定的であれば、国際調査機関の書面による見解の作成を省略することができます〈PCT規則69.1(bの2)〉。

vi）国際予備審査機関の見解書とみなされる場合

いずれかの請求の範囲に記載した発明が新規性や進歩性、産業上の利用可能性を有するとは認められず、国際予備審査報告の内容が否定的だった場合などは、国際調査機関の書面による見解は、国際予備審査機関の書面による見解とみなされます〈PCT規則66.1の2(a)〉。

その場合に34条補正をするときは、以下の順序になることがあります。

① （国際予備審査機関の）見解書＝国際調査報告＋書面による見解

② 国際予備審査請求＋34条補正

③ 19条補正

④ 国際予備審査報告

vii）19条補正の国際予備審査における考慮

出願人は19条補正を国際予備審査で考慮してもらうか否かを選択できます。国際予備審査の請求書には「第Ⅳ欄 国際予備審査に対する基本事項」「補正に関する記述」の欄があり、以下のいずれかの□に✔を付して選択します。

「請求の範囲に関して」

□ 出願時のものを基礎とすること。又は

□ 特許協力条約第19条の規定に基づいてなされた補正を基礎とすること。
　及び／又は
□ 特許協力条約第34条の規定に基づいてなされた補正を基礎とすること。

PCT規則53.9(a)には、「出願人は19条補正が行われた場合、国際予備審査のために、以下のいずれかを希望するか表示できる」と規定されているからです。

① 19条補正を考慮すること
② 19条補正は34条補正により取り消されたものとみなす

ⅷ) 見解と抗弁

出願人は、国際予備審査機関と口頭及び書面で連絡する権利を有することが規定されています〈PCT34条(2)(a)〉。

国際予備審査機関は、請求の範囲に記載した発明が新規性や進歩性等を有するとは認められず、国際予備審査報告が否定的な場合などは、出願人に対して答弁書や補正書を提出することを求めます〈PCT規則66.2(a)(c)〉。これに対して出願人は抗弁を提出し、34条補正を行うことができます(答弁)。抗弁と補正のどちらか一方、又は両方を行うことができ、答弁は国際予備審査機関に直接提出します〈PCT規則66.3(a)(b)〉。

また、国際予備審査機関は電話や書面、面談により随時、出願人と非公式に連絡することができます。さらに、出願人が請求した場合、国際予備審査機関の裁量によって、２回以上の面談を認めるかどうか、出願人からの書面による非公式の連絡に対して回答するか否かを決定します(PCT規則66.6)。

ⅸ) 国際予備審査報告

国際調査機関の書面による見解と同様、請求の範囲に記載した発明が、新規性や進歩性、産業上の利用可能性の基準〈PCT33条(1)～(4)〉に適合しているかどうかが記載されるなど、国際調査機関の書面による見解と同様の規定〈PCT35条(2)、PCT規則70.6など〉が適用されます。

国際予備審査報告は、「特許性に関する国際予備報告(特許協力条約第２章)」〈International Preliminary Report on Patentability (Chapter II of the Patent Cooperation Treaty)〉という表題が付されます〈PCT規則70.15(b)〉。

x）国際予備審査の意義

国際調査機関の書面による見解が国際予備審査報告と同一内容であることが多いため、国際予備審査請求は不要であると考える人も少なくありません。

確かに、国際調査の結果が肯定的であれば、国際予備審査請求をする必要はありませんが、国際調査の結果が否定的であった場合、34条補正や抗弁、面談をする機会を得て特許性を高めていくことができます。

あるいは、あまりにも多くの先行技術が挙がっていた場合は、出願の継続を取りやめることもできます。いずれにせよ、特許性を高める機会が得られるのであれば、請求したほうが得策といえるのではないでしょうか。

⑥ 国際公開

優先日から18カ月後に、国際出願された明細書、請求の範囲、国際調査報告、19条補正説明書、要約等を国際公開公報に掲載して公開するのが国際公開であり、技術情報を広く知らしめることを目的としています。

国際事務局（ジュネーブ）により国際公開公報が発行されますが、「日除け」の国際出願も「WO2019/244483号」という国際公開番号で国際公開されています（次ページ参照）。

国際公開は英語以外でもされることがあり、「日除け」の国際出願は日本語で国際公開されています。アラビア語、英語、スペイン語、中国語、ドイツ語、日本語、韓国語、ポルトガル語、フランス語、ロシア語で国際出願された場合には、国際出願された言語で国際公開され〈PCT規則48.3(a)〉、英語以外で国際公開された場合は、国際調査報告又はそれを作成しない旨の宣言、要約等は、その言語と英語の両方で国際公開されます〈PCT規則48.3(c)〉。

例えば、次ページの「日除け」の国際公開公報の第1ページの下には要約の英訳が記載されています。日本語で国際公開されたため、要約の英訳が掲載されています。国内移行の際に国際出願を英訳する場合、翻訳者は国際公開公報の要約に記載された英訳を参考にしています。

(12) 特許協力条約に基づいて公開された国際出願

(19) 世界知的所有権機関
国際事務局

(43) 国際公開日
2019年12月26日(26.12.2019)

WIPO | PCT

(10) 国際公開番号
WO 2019/244483 A1

(51) 国際特許分類:
E04F 10/08 (2006.01)

(21) 国際出願番号：　PCT/JP2019/017935

(22) 国際出願日：　2019年4月26日(26.04.2019)

(25) 国際出願の言語：　日本語

(26) 国際公開の言語：　日本語

(30) 優先権データ：
特願 2018-118846　2018年6月22日(22.06.2018)　JP

(71) 出願人：株式会社フラクタル・ジャパン (**FRACTAL JAPAN CO., LTD.**) [JP/JP]; 〒1120005 東京都文京区水道１丁目２番６－３０７号 Tokyo (JP).

(72) 発明者：山路　克彦 (**YAMAJI Katsuhiko**); 〒1120005 東京都文京区水道１丁目２番６－３０７号 Tokyo (JP).

(74) 代理人：奥田 弘之，外 (**OKUDA Hiroyuki** et al.); 〒1050001 東京都港区虎ノ門１－８－１０ セイコー虎ノ門ビル２Ｆ Tokyo (JP).

(81) 指定国(表示のない限り、全ての種類の国内保護が可能)：AE, AG, AL, AM, AO, AT, AU, AZ, BA, BB, BG, BH, BN, BR, BW, BY, BZ, CA, CH, CL, CN, CO, CR, CU, CZ, DE, DJ, DK, DM, DO, DZ, EC, EE, EG, ES, FI, GB, GD, GE, GH, GM, GT, HN, HR, HU, ID, IL, IN, IR, IS, JO, KE, KG, KH, KN, KP, KR, KW, KZ, LA, LC, LK, LR, LS, LU, LY, MA, MD, ME, MG, MK, MN, MW, MX, MY, MZ, NA, NG, NI, NO, NZ, OM, PA, PE, PG, PH, PL, PT,

(54) **Title:** SUNSHADE

(54) 発明の名称：　日除け

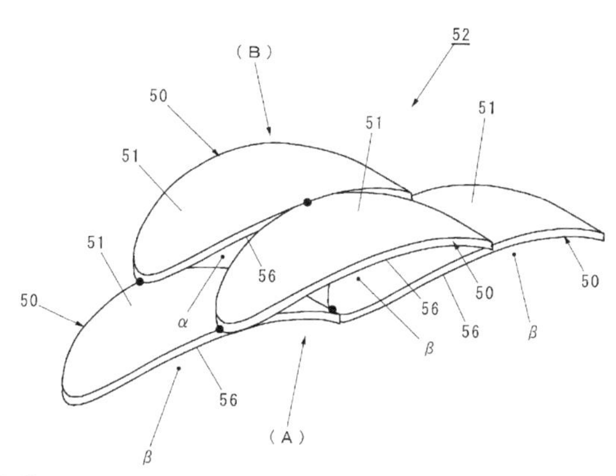

(57) **Abstract:** [Problem] To provide a sunshade structure for which sunshade performance does not readily decline even if there is a shift in season or the time period when the sunlight is strong. [Solution] A sunshade 80 comprising a plurality of sunshade blocks in which a plurality of sunshade members are disposed so as to be aligned in a fixed direction, the sunshade members being structured such that a plurality of sun blocking faces and a plurality of spaces are disposed three-dimensionally and, when viewed from a prescribed light-blocking angle, each space seems to be substantially covered by the sun blocking face disposed therebehind, the sunshade 80 being characterized in that the sunshade members are constituted by a base configuration block 52 that comprises a plurality of curved round members 50 which are elliptical plates that

WO 2019/244483 A1

[続葉有]

⑦ 国内移行、指定官庁への送達

国際調査、国際公開、国際予備審査など、国際段階を経た国際出願は、いよいよ各指定国で審査を受けます。しかし、各国で自動的に審査が開始されるのではなく、翻訳文の提出や手数料の支払いをはじめとする、「国内移行」(entry into the national phase)という手続きが必要です。

国内移行した後は、各国で独立した特許出願となり、各国の特許庁が独自の特許法に基づいて審査を行います。A国で成立した特許が、B国では成立しなかったというようなケースはよくあることです。PCTは方式統一条約であり、国際出願の統一した手続きを定めています。実体審査の判断は各国に委ねられます。150カ国以上の加盟国が国際出願により自動的に指定されますが、これらすべての国に国内移行することは、費用面を考えるとほぼ無理です。出願人は特許取得を望む国を選択し、その特許庁に国内移行の手続きを行います。

また、国際出願や国際調査報告、19条補正などが国際事務局から各指定官庁に送達されています(指定官庁への送達：communication to designated offices)(PCT20条)。国内移行は原則として「優先日から30カ月」ですが、欧州特許では31カ月です。国内移行期限は、WIPOのWebサイトで確認することができます(http://www.wipo.int/pct/en/texts/time_limits.html)。

国内移行の際に特許翻訳が必要になり、米国や欧州向けに明細書や請求の範囲を英語に翻訳します。

4. 特許翻訳のルール
Patent Translation Rules

(1) 特許翻訳の厳格さ

特許翻訳では「前記」「上記」「当該」という言葉を使います。初出ではなく、２回目以降に登場する言葉に付されます。このルールは特許請求の範囲で適用されます。特許以外の文書では「上述」「上記」、英語では“above, above-described, described above”などと表現されますが、特許請求の範囲では“the, said”と訳します。

ただし、明細書で「図１で上述したように」「上述したように、このパーティションは工場でプレ加工される」などとされているときは、“as illustrated above in Fig. 1”や“this partition is pre-processed in a factory as described above”のように記載します。要するに、明細書は日英共に通常の文章として記載するので、一般英語の表現を使うことができるということです。

① 初出は無冠詞または不定冠詞、２回目以降は“the”

書籍の頁と頁の間に挿入可能な本体部と、上記本体部を書籍の頁と頁の間に挿入した場合に、書籍の外形から突出する凸部とを備えた栞よりなる書籍のマスコット品であって、上記凸部は、人物や動物等の任意の物の一部又は全部の形状と成されていることを特徴とする書籍のマスコット品。

A book mascot item comprising a bookmark having: a body that can be inserted between pages of a book; and a convex part that protrudes from the outer shape of a book when the body is inserted between pages of a book, wherein the convex portion is formed into the shape of part or all of any object like a person or an animal.

上記は著者の事務所が代理したある特許出願の請求項です。「初出の単語には不定冠詞、２回目以降なら定冠詞」を厳格に適用しています。「上記本体部」「上記凸部」はいずれも２回目であるため、「上記」の文言が付されています。

「頁」も複数回登場していますが、これらは発明特有の構成要素ではなく、一般的なページを指しているので、２回目以降でも「上記」は付していません。「頁と頁の間」といっても特定のページを指すものではないからです。クレームではこの原則が日英共に厳格に適用されます。クレームを英訳する場合、日本語明細書の「前記」は“the”とすればよいですが、「底面」のように必ず存在するものには、初出でも“the”を付して構いません。

英文明細書でも、“the bottom”のように初出でも“the”が付される場合があるため、“the”をすべて「前記」と和訳するのは避けるべきです。「前記」は“the”か“said”のいずれかですが、「当該」と区別するために「前記」は“the”、「当該」は“said”と英訳し分けるのも一つの方法です。“the”のみ、“said”のみが記載されている場合は、「前記」または「上記」で統一して訳します。

なお、「前記」「上記」などの先行詞(antecedent basis)について、米国の審査基準であるMPEP(Manual of Patent Examining Procedure)の規定を以下に紹介します。MPEPは、いわば「米国特許審査官の手引き」です。

MPEP 2173.05(e)

☞The lack of clarity could arise where a claim refers to “said lever” or “the lever,” where the claim contains no earlier recitation or limitation of a lever and where it would be unclear as to what element the limitation was making reference.

意訳：クレームに“said lever” または“the lever”とあるが、クレームには“a lever”という先行する記載もなく、どの要素を指しているかが不明である場合、明確性の欠如となる。

MPEP2173.05(e)

☞A claim which refers to “said aluminum lever,” but recites only “a lever” earlier in the claim, is indefinite because it is uncertain as to the lever to which reference is made.

著者訳：クレームでは“said aluminum lever”(前記アルミニウム製レバー)と述べているが、先行して“a lever”(レバー)とのみ記載しているクレームは不明確である。なぜなら、どのレバーを指しているかが不明確だからである。

② 初出、２回目以降のルールが適用されない場合

ⅰ）クレームの範囲を当業者が確認できるとき（不明確ではない）

MPEP2173.05(e)

☞Ex parte Porter, 25 USPQ2d 1144, 1145 (Bd. Pat. App. & Inter. 1992) ("controlled stream of fluid" provided reasonable antecedent basis for"the controlled fluid").

著者訳（下線部のみ）：「流体の制御された流れ」は、「制御された流体」の妥当な先行根拠となっている。

ⅱ）固有の構成要素（Inherent components）には先行詞がある

MPEP2173.05(e)

☞Inherent components of elements recited have antecedent basis in the recitation of the components themselves. For example, the limitation "the outer surface of said sphere" would not require an antecedent recitation that the sphere has an outer surface.

意訳（下線部のみ）：「前記球の外面」という記載があれば、「球が外面を有する」という先行の記載は必要ない（球には外面があるから）。

（２）特許翻訳における「複数の」

特許翻訳では「複数の」という言葉を名詞に付して、単複を明確にする場合があります。このとき"a plurality of"を使うのが一般的です。また、和訳する場合（a plurality ofは付いていませんが）、"blocks"のように単に複数形となっている単語を「（複数の）ブロック」のように、カッコ書きで「（複数の）」と記載する場合があります。

（３）「本発明」という表現

一般的に本発明は"The present invention"ですが、"the instant invention"ということもあります（"instant"には「当面の」といった意味があるため）。発明を"disclosure"（開示）と訳すこともあり、"This disclosure relates to…"（本開示）のように記載します。

また、発明の技術のことを明細書中で“technology”と言い換えることもあります。なお、以下のいずれでも構いませんが、一般的なのはａ)です。

ａ)The present invention relates to …

ｂ)The present technology relates to …

ｃ)The present disclosure relates to …

(４)「〜に係る」という表現

“involved in”(〜に巻き込まれる、〜に関わっている)、“involved with”(〜に関わっている、〜に関与している), “is (are) in relation to…, is (are) associated with …” など、「〜に係る」に相当する英熟語は数多くありますが、明細書冒頭の場面では“relates to”を使うのが一般的です。

(５)「本発明において」という表現

明細書作成者が頻繁に用いる「本発明において」は何を意味しているでしょうか。「本発明を使用する際には」「本発明を実装する際には」「本発明の構造においては」などを意味します。「実装する」とは、機能を発揮させるために具体化することです。発明は技術的なアイデアであり、これを実際に製品に搭載(具体化)することを「実装する」と表現しますが、英文明細書では“implement”という単語が使われます。

◆本発明においては、ブロックの裏面は凹面であり、正面は凸面である。

☞This invention is configured such that the back face of a block is concave and the front surface is convex.

注)「この発明は〜であるように構成されている」ことを意味するため、“configured such that”の構文を使っている。

◆本発明においては、すべてのブロックを同一方向に配置することが必要である。

☞In implementing this invention, all blocks should be arranged in the same direction.

注)「本発明を実装する際には、〜ようにすることが必要である」ことを表現するため、“In implementing this invention”(この発明を実装する際には)の表現を用いている。

（６）特許請求の範囲（クレーム）の種類

技術思想をクレームで表現するには、いくつかの法則（パターン）があります。クレームの作成者は、その法則にのっとっています。ということは、英訳する前に「それがどのタイプのクレームなのか」を特定することによって、効率的に作業を進めることができるのです。

タイプ	概要
① 書き流し型クレーム	動作や状態の順序に沿って書いていく
② ジェプソンタイプ・クレーム	「～において（であって）」の部分（前提）と、「～であることを特徴とする」という（特徴部分）から構成される（p. 134参照）
③ マーカッシュ・クレーム	構成要素を択一的な形式で記載する
④ 数値限定するクレーム	「温度が40～80 ℃である」等の数値限定がされているクレーム
⑤「～を除く」とするクレーム	「哺乳動物（ヒトを除く）」のように、ある要素を除くクレームもあります。
⑥ 構成要件列挙型クレーム	「Ａと、Ｂと、Ｃと、Ｄとを備えた～」のように、構成要件を列挙するクレーム
⑦ ミーンズ・プラス・ファンクション・クレーム	手段と機能により発明の範囲を特定する
⑧ プロダクト・バイ・プロセス・クレーム	製法により物の発明を確定するレーム

※上記のうち、①、③、⑦、⑧については以下で補足します。

① 書き流し型クレーム

動作や状態の順序に沿って記載していく特許請求の範囲です。以下は「冷菓」という名称の特許出願の特許請求の範囲です。

「小孔を有するとともに、該小孔と連通し、中ぐりによって形成された空洞部を有する可食生地の内面に、可食防湿層を形成するとともに、上記空洞部にアイスクリーム類及び／又は氷菓を充填し、さらに、上記小孔を可食防湿材で閉塞し、以て、上記アイスクリーム類及び／又は氷菓を、可食防湿層及び可食防湿材で被覆してなることを特徴とする冷菓」

a）小孔を有する
b）その小孔と連通し、中ぐりによって形成された空洞部を有する可食生地あり
c）その可食生地の内面に、可食防湿層を形成する
d）その空洞部にアイスクリームなど氷菓を充填する
e）その小孔を可食防湿材で閉塞する
f）そのアイスクリームなど氷菓が可食防湿層と可食防湿材で被覆される

注）可食の防湿層と防湿材でコーティングされたアイスクリームなどの氷菓を作成する手順の説明が、そのまま特許請求の範囲となっている。

③ マーカッシュ・クレーム

「カドミウム、亜鉛、マグネシウム、シリコン、ストロンチウム…からなる群より選択される○○」のように、構成要素を択一的な形式で記載するクレームです。以下のように、MPEP2117には、択一的要素からなる閉じた群から選択されることが必要である旨が規定されています。

☞Claim language defined by a Markush grouping requires selection from a closed group “consisting of” the alternative members.

つまり、他の要素を排除するクローズされた群を表現する“consisting of”を用います。

☞Treatment of claims reciting alternatives is not governed by the particular format used (e.g., alternatives may be set forth as “a material selected from the group consisting of A, B, and C” or “wherein the material is A, B, or C”)

選択肢を記載するクレームの取り扱いは、使用される特定のフォーマットにより規定されることはなく、選択肢は、以下のように記載できることも規定されています。

◆A、B、Cからなる群から選択される物質

☞a material selected from the group consisting of A, B, and C”

◆物質がA、B、Cであることを特徴とする

☞wherein the material is A, B, or C”

⑦ ミーンズ・プラス・ファンクション・クレーム

ミーンズ（手段）とファンクション（機能）によって発明の範囲を特定するクレーム（例：～機能を備えた手段）です。その範囲は明細書中の対応する構造、材料、行為、それらの均等物に限定すると解釈されてしまうため、この形式を使うことが好まれません。

米国特許法112条(f)

☞An element in a claim for a combination may be expressed as a means or step for performing a specified function without the recital of structure, material, or acts in support thereof, and such claim shall be construed to cover the corresponding structure, material, or acts described in the specification and equivalents thereof.

解説：このクレームは、明細書中の対応する構造、材料、行為、それらと均等な物を包含するものとして解釈される（つまり、権利範囲が明細書に記載された構造や材料等に限定してしまう）。

そして以下の３つのプロング（分岐）に該当する場合、審査官は、ミーンズ・プラス・ファンクションクレームであると判断し、112条（f）を適用することが規定されています（MPEP2181）。

☞（A）the claim limitation uses the term “means” or “step” or a term used as a substitute for “means” that is a generic placeholder (also called a nonce term or a non-structural term having no specific structural meaning) for performing the claimed function;

意訳：means（手段）、step（ステップ）、またはmeans（手段）の代替語（「暫定的な用語」や「非構造的用語」とも呼ばれる）でクレームを限定している。

☞（B）the term “means” or “step” or the generic placeholder is modified by functional language, typically, but not always linked by the transition word “for” (e.g., “means for”) or another linking word or phrase, such as “configured to” or “so that”; and

著者訳：means（手段）、step（ステップ）、一般的な代替語が機能的言語に修飾されており、これが常にではないが、通常、means for（〜のための手段）のように移行語“for”やconfigured to（〜するように構成されている）、so that（〜であるように）のように他の接続語やフレーズでつながれている。

☞（C）the term “means” or “step” or the generic placeholder is not modified by sufficient structure, material, or acts for performing the claimed function.

著者訳：means（手段）、step（ステップ）、一般的な代替語が特許請求された機能を果たすのに十分な構造、材料、行為によって修飾されていない。

⑧ プロダクト・バイ・プロセス・クレーム

特許請求された物をそれが製造される方法から定める物のクレームであることが、MPEP2173.05(p)に規定されています。物の発明をあえて製法で特定するのは「明確性」に反するのではないかという議論があります。

この点について画期的な最高裁判決〈24(受)1204号、2658号〉が下され、これを受けて、特許庁ではプロダクト・バイ・プロセスクレームについて、「不可能・非実際的事情（出願時に物をその構造又は特性により直接特定することが不可能である、又は実際的でないという事情）」があるときを除き、物の発明は不明確であるとの拒絶理由がされることとなりました。

出願人はこれに対して、a）当該請求項を削除、b）製法の発明に補正、c）製法を含まない物の発明に補正、d）「不可能・非実際的事情」の主張、立証、e）「その物の製造方法が記載されている場合」に該当しないことを反論するといった対応策をとることができます。

注）「プロダクト・バイ・プロセス・クレームに関する審査の取扱いについて」は、以下の特許庁のWebサイトで確認できる。
https://www.jpo.go.jp/system/laws/rule/guideline/patent/tukujitu_kijun/product_process/index.html

5. オープンエンド・クローズドエンド
Open-ended and Closed-ended Claims

クレームの移行句として、“comprising”や“including”はオープンエンドといわれ、列挙した以外の要素もクレームの範囲に入ります。“consisting of”はクローズドエンドといわれ、列挙した以外の要素をクレームの範囲から排除します。したがって、権利を広く取るには、オープンエンドをお勧めします。

(1)オープンエンド

comprising, including, containing, characterized by

“A device comprising:

α …；

β …； and

γ … “

他の要素があっても、α、β、γを含んでいれば特許権の範囲内となります。

MPEP2111.03

☞The transitional term “comprising”, which is synonymous with “including,” “containing,” or “characterized by,” is inclusive or open-ended and does not exclude additional, unrecited elements or method steps.

解説：移行句“comprising”は、“including, containing, characterized by”も同様に、記載されていない要素や方法ステップも除外せず、これらを含んだものもクレームの範囲に入る(つまりこの文言を使うことにより、包括的でオープンなクレームとなっている)。

(2)クローズドエンド

consisting of

“A device ... consisting of α, β, and γ”

解説：α、β、γのみが特許権の範囲に含まれ、α、β、γ、Dから成り立っている製品等は特許権の範囲外である。

MPEP2111.03

☞The transitional phrase “consisting of” excludes any element, step, or ingredient not specified in the claim.

意訳：移行句“consisting of”があると、クレームに記載されていない要素、ステップ、成分は除外される。

（3）その他の移行句

① consisting essentially of

クレームされた発明の基本的かつ新規な特徴に本質的な影響を与えない材料やステップ等にクレームの範囲が限定されます。“essentially”の文言から分かるように、クレームに記載の要素に本質的な影響を与えないものであれば、クレームの範囲に入るということです。

MPEP2111.03

☞The transition phrase “consisting essentially of” limits the scope of a claim to the specified materials or steps “and those that do not materially affect the basic and novel characteristic(s)” of the claimed invention”.

著者訳：移行句“consisting essentially of”は、指定された材料またはステップ、「クレームされた発明の基本的かつ新規な特徴に本質的な影響を与えない材料またはステップ」にクレームの範囲を限定している。

② having

オープンエンドとクローズドエンドのどちらに該当するかは、明細書の内容に照らして判断されますが、オープンと解釈したり、クローズと解釈したりする判例があります。要するに、事案によってオープン／クローズのいずれにもなり得るということです。

MPEP2111.03

☞“Transitional phrases such as “having” must be interpreted in light of the specification to determine whether open or closed claim language is intended.

著者訳：“having”等の移行句は、オープン／クローズドクレームのいずれが意図されているかを判断するために、明細書に照らして解釈する必要がある。

③ composed of

この移行句について、“consisting essentially of”と同様に解釈したり、“consisting of”と解釈するが、特定の状況では“consisting of”より広いとしたりする判例があります。

MPEP2111.03

☞The transitional phrase “composed of” has been interpreted in the same manner as either “consisting of” or “consisting essentially of,” depending on the facts of the particular case.

意訳：移行句“composed of”は、事案に応じて、“consisting of”または“consisting essentially of”と解釈されてきた。

「翻訳と会話は全くの別モノ」

had better（～したほうがよい）は会話では使いますが、明細書の訳で使うことはまずありません。オフィスアクションを訳すときも、「出願人は～を添付したほうがよい」を英訳するときは、An applicant is recommended to attach …（出願人は～が推奨される）と訳します（had betterは実は「～したほうが身のため」というキツイ要求です）。もう一つ、翻訳と会話の違いで悩むのは「ところで」です。明細書では頻出ですが、“By the way”は会話で使うもの。

On a different note, On another note（話は変わりますが）、Turning now to …（～に話題を変えると）、Focusing on …（～に着目すると）など、その場面に応じてさまざまなフレーズを選んでいます。「硬い特許翻訳」と「会話」はあまりにもギャップがあり、言い換えには工夫が必要です。

第５章
特許翻訳に必要な英語ルール

English Rules Required for Patent Translation

第１章から第３章の英訳において参照すべき頻出の表現、類の表現、単語、文法（関係代名詞、関係副詞、不定詞、比較級、分詞構文、自動詞、他動詞等）をまとめています。別の案件で翻訳する際にもご活用ください。

第５章でもこれまでと同様に以下の記号を付して内容を整理しています。

◆：キーフレーズとなる和文（キーフレーズ）

➢：キーフレーズの言い換え（リフレーズ）などの和文

☞：英文の訳例

◇：著者のコメントや解説

1. 頻出する表現とフレーズ

Frequent Expressions and Phrases

(1)「〜的に」という表現

① 副詞と“in a … manner (way, mode)”

キーワード	副詞	in a … manner
三次元的に	three-dimensionally	in a three-dimensional manner
自動的に	automatically	in an automatic manner
劇的に	drastically	in a drastic manner
限定的に	limitedly	in a limited manner
分散的に	dispersively	in a distributed manner

副詞を用いれば１ワードで表現できるので、簡潔性の観点から、“in a … manner”の使用はできるだけ避けたほうがよいと思います。

② “in a … manner (way, mode)”を使う場合

◆部材を分散的に配置する

☞arrange members in a distributed manner

◇「分散的に」を意味する副詞には“dispersively”がありますが、一般的によく知られた“distribute”を使えば上記下線部のように表現できます。

(2)「〜を多数〜する」「〜を複数〜する」という表現

① 和文を見たまま英訳しない

◆穴が多数形成されている。

◇以下のように言い換えると英訳しやすくなります。

➢多数の穴が形成されている。

☞Many holes are formed.

② フレーズを付け加える

◆穴が多数形成されている。

➢多数の穴が形成されている。

☞The holes are formed in a large amount.

◇動詞の後に上記下線部を付け加えます。「少数」の場合は“large”を“small”に変更すればよいです。また、「量」を示す“amount”は“quantity”に置き換えても構いません。

(3)「〜ように構成される」「〜ように〜される」という表現

①「〜ように構成される」

◆隙間が組み合わさるように日除けが構成されている。

☞A sunshade is configured such that gaps are combined.

◇“configured”は“structured”でも構いません。「〜のように」は、“to, so as to, in a manner that, so that”と訳すことができます。

◆隙間は通気性を保持するように構成されている。

☞The gaps are configured to permeate air.

②「〜ように〜される」

上記①の構文は、「構成される」以外にも「配置される」「整列される」「整えられる」「実装される」など、多くの動詞に使うことができます。

◆〜のように配置される

☞disposed (arranged, placed) such that (so that) …

◆〜のように実装される

☞implemented such that (so that) …

(4)「各」「おのおの」という表現

①「各」には、“each”または“respective”

“each”は「1つひとつの」という意味で単数形の名詞に付されます(形容詞としてのeach)。あるいは「(複数あるものの) 1つひとつ」という意味で“each of blocks”のような形で使います(代名詞としての“each”)。“respective”は複数形の名詞に付して「1つひとつの」という意味を表す形容詞です。

次ページに3つの訳文を例示します。

◆各人はおのおのの椅子に座っている。

☞Each person is seated in their respective chairs.

☞Each person is seated in his (her) chair.

☞People are seated in their respective chairs.

②「おのおのに～する」には、respectively（副詞）

◆ビーカーを箱１の中に、試験管を箱２の中に置く。

☞The beaker and the test tube are put in the box 1 and the box 2 respectively.

◇上記のように“respectively”は対応関係を示す場合に使うことができます。

（５）each otherの使い方

①代名詞の場合

◆お互いの顔

☞each other's faces

◇この場合、“his, her, their”などと同じ代名詞です。

②前置詞を伴う場合

◇“each other”の前置詞に何を起用すべきかで迷うことがあると思いますが、「通常の名詞や代名詞であればどうするか」で判断します。

◆ＡはＢと平行である。

☞A is parallel to (with) B.

◆ＡとＢは互いに平行である。

☞A and B are parallel to (with) each other.

◆ＡとＢは離間している。

☞A is spaced apart from B.

◆ＡとＢは互いに離間している。

☞A and B are spaced apart from each other.

◆ＡとＢは遠くない場所にいる（スープの冷めない距離にいる）。

☞A and B are not far from each other.

③ 前置詞を伴わない場合

◆私はあなたが好きです（あなたは私のことが好きです）。

☞I like you. (You like me.)

◇上記のとおり、“like”や“see”の目的語には前置詞を置きません。

◆私たちは互いに好きです。

☞We like each other.

(6) 造語の英訳

① 言葉を組み合わせる

クレームでは、部材やシステムの部署を発明の構成要素として表現することが多いため、「～部」が頻出します。その場合、“part, section, unit”などを付します。本書で挙げた透孔部（through-hole part）はその好例です。

キーワード	英訳
属性判定部	an attribution determining part (section, unit)
認証部	an authorization part (section, unit)
判定部	a determination part (section, unit)
入力部	an input part (section, unit)
送信部	a transmission part (section, unit)

注）“transmitter”（送信手段）のように既存の単語がある場合、簡潔性のために既存の英単語を使ったほうがよい。

② 明確性を考える

日本語としては一語にまとまっていたとしても、明確に伝えるために用語の説明をしているかのような造語があります。

◆店舗空席情報確認手段（店舗の空席情報を確認する手段）

☞shop vacancy information confirmation means

◇上記でも構いませんが、手段を説明する形式のほうが好ましいと思います。

☞means for confirming shop vacancy information

DeepL®翻訳：Means of checking store availability information

（７）複数の動詞から成り立つ動作

◆分配配置する　　◆載置固定する

☞distribute and arrange　　☞place and fix

◇上記の動作は、２つの動詞を並べることで表現できます。受動態のときは、"distributed and arranged"や"placed and fixed"となります。

◆加熱溶解する

➢加熱することによって溶解する

☞melted by heating

◇一方の動作が他方の手段となっている場合には、"by"を用いて表現します。

（８）「ほとんど～できない」「～することは困難である」

① barely, hardly

"barely"は「ほとんど～しない」を意味し、肯定文で使用できます。「～することが困難である、～することはほとんどできない」という文章でも使えます。

◆この日除けはほとんど太陽光を遮断しない。

☞This sunshade barely blocks sunlight.

② 「It is difficult for 人 to …」

◆作業者らはこの日除けをほぼ形成できない。

➢作業者らがこの日除けを組み立てることは困難である。

☞It is difficult for workers to form this sunshade.

（９）onlyの意味

"only"は「唯一の」という意味で"one"の前に置かれる印象がありますが、数字の前に置けば「少ししか～ない」になるなど、多くの意味を有します。

① 「唯一の」

◆これは私が理解できる唯一の言語である。

☞This is the only language that I can understand.

◇名詞の前に置くと、「唯一の」という意味になります。

②数字や数量を表す言葉の前に置くと「ほんの、わずかの」

◆この家は、わずか（たった）1000万円である。

☞The price of this house is only 10,000,000 yen.

◆私は少額のお金しかない。

☞I have only a little money.

◇上記のように、大きな数字の前に置かれたとしても「〜しかない」という意味を表します。つまり、"only"には否定的な意味もあるのです。

③動詞の前に置くと「〜するだけ、〜にするにとどめる」

◆学生は文章を読むだけであった。

☞The student only read sentences.

◇「〜にとどめる」というと、"remain"などの単語を思い浮かべてしまいますが、"only"を使うと、「〜しただけ」と言い換えることができます。

④不定詞の前に置くと「結局は〜という結果になるにすぎない」「〜するためだけに」（副詞）

◆私は懸命に勉強したが試験に落ちた。

☞I studied hard, only to fail in the exam.

（10）a pair ofの単複

"a pair of shoes"や"a pair of trousers"など、「一対の」を表現したい場面は頻繁にありますが、その動詞は単数形と複数形のどちらでしょうか？

①a pair ofは「１つのもの」とみなされることが多い

☞a pair of shoes, scissors, trousers, pants (are/is?) …

注）通常、"a pair"は動詞を単数形にする。

◆一足の靴が展示されている。

☞A pair of shoes is displayed.

◇"A pair of shoes"を目的語等として代名詞で置き換えるときは"them"を使います。

☞We bought them (a pair of shoes).
◇また、複数のペアのときは複数扱いであることは言うまでもありません。
☞Two pairs of shoes are…
注)動物のペア、個々に扱うべき人のペアを複数扱いにすることもある。

② 人や動物のペアは？

◆ペアは互いに話し始めている。
☞A pair of a man and a woman are beginning to talk to each other.
☞A pair of dogs are …
◇動物も複数扱いで“are”を使うことが多いです。しかし、動物や人のペアは“a couple of”を使うことができます。

(11)「there＋前置詞」

特許英語では、“thereon, therein, thereafter, therefrom”など「there＋前置詞」を数多く使います。「there＋前置詞」は「前置詞＋前出の単語」の意味であり、これらは副詞です。

◆地面には多くの穴があり、その中に球が埋め込まれている。
☞The ground has many holes, and balls are embedded therein.
(The ground has many holes, and balls are embedded in the holes.)
◆記憶手段は端末に接続されており、そこに情報を送信する。
☞The memory is connected to the terminal to send information thereto.
(The memory is connected to the terminal and sends information to the terminal.)
注)“therein, thereto”は、それぞれ副詞句の代わりに置かれている。

(12)「ただし」と「しかし」

「ただし」は条件や例外を付す際に使用する接続詞です。一方、「しかし」は逆接を表します。翻訳者は「ただし」を逆接の意味と判断して、「しかし」(however, but)と訳すことがあります。日本語の意味に応じて訳語や文章の構造を変えて英訳することもあります。

①逆接で使われていると思われる「ただし」

◆この日除けの正面は太陽光を受ける。ただし、裏面は太陽光を受けず、冷却される。

☞The front surface of this sunshade receives sunlight, however, its back face does not receive sunlight and is cooled.

注)「ただし」が逆接の意味であるため、“however, but”を使う。

②例外や条件を表す「ただし」

◆このブロックは太陽光により加熱される。ただし、日除けがブロックの上に置かれていれば加熱されない。

➢このブロックは太陽光により加熱される。ただし、日除けがブロックの上に置かれていれば加熱されない。

➢日除けがブロックの上に置かれている場合を除いて、このブロックは太陽光により加熱される。

☞This block is heated by sunlight, except when the sunshade is placed over the block.

◆A社はこの特許発明を自由に実施できる。ただし、A社がB社の設定した要件に適合することを条件とする。

☞Company “A” may carry out the patented invention freely, provided that Company A meets the requirements set by Company B.

◆A×B＝C（式1）（ここでAは温度、Bは湿度、…を示す）

☞A×B＝C（Formula 1） in which A means temperature, and B means moisture …

◇このように式の中で「ただし、～は～を示す」は“in which”と訳せます。

(13)「等」のさまざまな訳語

「等」といえばすぐに思い浮かぶのが、“etc.（et cetera)”です。これは、「Cambridge Dictionary」によると“and other similar things”という意味です。“and so forth, and so on, and the like, or the like”も「等」の訳語として使われます。

例えば、「木材、金属等」のように具体例を列挙し、これ以上列挙しないが、ほかにも具体例が存在することを表現したい場合は“wood, metal etc.”や“wood, metal or the like”などを使います。

①and the likeとor the like

列挙した後に、“and the like”または“or the like”を置くことがあります。どちらも「等」を意味しますが、以下のとおり、それぞれ違いがあります。

ⅰ)and the like

「及びこれと同様のもの」のように、“and”でさらに列挙できるものを省略する場合です。

◆本開示の態様にはシステム、方法、コンピュータプログラム製品などがある。

☞Aspects of the present disclosure involve systems, methods, computer program products, and the like ….

◇上記は米国特許第9,013,538号の例です。「システム、方法、コンピュータプログラム製品」など、これに類するものを“and”で列挙しています。

ⅱ)or the like

「またはこれと同様のもの」のように、“or”によってさらに列挙できるものを省略する場合です。“or”でつなぐので、列挙されているものは必須ではないということです。

◆２つの板は、ネジやクギ、接着剤等によって相互に固定される。

☞Two plates are fixed with screws, nails, adhesives or the like.

②such as, like, including, for example

「金、銀、アルミニウム等の金属」のように具体例を列挙し、これ以外の具体例は上位概念に含まれる他の具体例であることを表現したい場合は、“metals such as gold, silver, aluminum …”や“metals including gold, silver, aluminum …”などを使います。such as(〜など)という例示するためのフレーズですが、コンマを付すことができます。

◆フルーツ、例えばリンゴ、パイナップル、ブドウ…

☞fruits, such as apples, pineapples, grapes …

◇「such as ＋ コンマ」は、「これから例示する」という予告です。和訳する際は、「リンゴ、パイナップル、ブドウなどのフルーツ」や「フルーツ、例えば～」のように訳すこともできます。“such as”以下の例示が多い場合、“such as”以前を先に訳し、何の例示なのかを最初に明らかにすべきでしょう。

(14)「～形状」の英訳

「～形状の」という表現は以下のように数多く存在します。

① 形容詞がある場合

「形容詞＋shaped」で「～形状の」を意味することができます。

◆三角形状の

☞triangular shaped

◆四角形状の

☞square shaped

◆矩形状の

☞rectangular shaped

◆楕円形状の

☞elliptical shaped

◆円形状の

☞circular shaped

◆六角形状の

☞hexagonal shaped

◇しかし、“shaped”を付す必要はありません。和文に「～形状の」とあってもrectangular（長方形）やcircular（円形）といった形容詞を使えば十分です。これも簡潔性を優先させるべきでしょう。

② 名詞＋shaped

「～形状の」を表す形容詞がない場合や、形容詞があっても、以下のように名詞と組み合わせて「名詞＋shaped」で単語を作ることができます。

◆星形の

☞star-shaped

◆皿形状の

☞dish-shaped

◆椀形状の

☞bowl-shaped

◆円盤状の

☞disc-shaped

◇なお、このとき“shape”の代わりに“like”を使うこともできます。

◆板状の入れ物

☞plate-like container

注）上記の場合、必ずしも形状を表さないこともある。例えば、“star-like”は「星形の」以外に「星のように輝く」という意味もある。

(15)「これが〜ともなると」の英訳

これも頻出のフレーズです。「〜ともなると」は、「いよいよ〜の段階、立場、状態等になると」を意味します。以下の例文を見ると分かるように、「ともなると」は、その段階や立場などを強調していますが、以下のように、通常の日本語に言い換えて訳すことができます。

◆彼と勝負するとなると私は緊張する。

☞When I compete with him, I get nervous.

◆研究者ともなると、彼の蔵書は多い。

☞Being a researcher, he has many books.

◇あえて「〜ともなると」の意味を強調したい場合は、“when it comes to …”を使えば「〜のこととなると」と表現することができます。

◆ピアノを教えるとなると、彼の右に出る者はいない。

☞When it comes to teaching how to play the piano, he is second to none.

(16) result in …

“result in …”は「〜という結果を生じさせる」を意味し、結果を表すことが多い特許文書では頻繁に使うことができます。“result in …”の後は名詞または動名詞が置かれます。

① 例文

◆悪天候により我々は実験の延期を決定した。

☞The bad weather resulted in our decision to postpone a trip.

☞The bad weather resulted in our deciding to postpone a trip.

◇“result in”の後は名詞や動名詞が置かれるため、動作の主体も代名詞であれば“our”などの所有格とします。

② 他のフレーズ

“lead to”にも「～という結果につながる」「～という結果をもたらす」という意味があり、同様に使うことができます。「lead (cause) 目的語 to 動詞原形」「let (make) ＋目的語＋動詞原形」等を使うこともできます。

上記の例文では、結果をもたらす原因が“bad weather”という単語で表現されていますが、「試験管を多数壊した」という文章で原因が表現されていれば、以下の方法もあります。

◆研究者らは多くの試験管を壊し、実験を延期した。

➢研究者らは多くの試験管を壊し、この事実は彼らに実験を中止させた。

☞The researchers damaged many test tubes, which caused them to postpone the test.

◇前の文章を先行詞とする関係代名詞や、“causing”のように分詞構文を使うこともできます。

(17)「目的語が～することを許す」等のフレーズ

「目的語に～させる」「目的語が～することを許す」「目的語が～するように導く」等の表現について、以下のとおりさまざまな場面で使い分けます。

キーワード	英訳のパターン
目的語に～させる	make (have) ＋ 目的語 ＋ 動詞原形
目的語に～させる 目的語が～することを許す	let ＋ 目的語 ＋ 動詞原形
目的語が～することを許す 目的語が～することを可能にする	allow ＋ 目的語 ＋ to 動詞原形
目的語に～させる	cause ＋ 目的語 ＋ to 動詞原形
目的語を～に導く	lead ＋ 目的語 ＋ to 名詞
目的語が～するように導く	lead ＋ 目的語 ＋ to 動詞原形
目的語が～することを許可する 目的語が～することを可能にする	permit ＋ 目的語 ＋ to 動詞原形
目的語が～することを可能にさせる	enable ＋ 目的語 ＋ to 動詞原形
目的語が～することを可能にする	make it possible for ＋ 人 ＋ to 動詞原形

（18）「having＋目的語＋過去分詞」というフレーズ

ある物の全体を主語にして、「そのある部分に何かを有している」「〜されている目的語を有している」ことを表現する文章です。

◆この箱には、蓋の下に磁石が備わっている。

☞This box has a magnet placed under the lid.

◇このほか、「配置されている(arranged)」「整列されている(aligned)」など、さまざまな動詞の過去分詞を置くことができます。“on”に限らず、“at, above, under”など、さまざまな位置を記載するための前置詞を使います。

◆その板には複数の溝が形成されている。

☞The plate has a plurality of grooves inscribed in it.

（19）付帯状況を表すフレーズ

主節と同時並行で生じている状態を、“with”を使って表すことができます。

① 付帯状況を表す「with＋名詞＋過去分詞」

◆彼女の両手を交差した状態で

☞with her hands crossed

◆容器を密封した状態で

☞with the container sealed

◆ドアが閉まった状態で

☞with the door closed

◆脚を折り曲げた状態で

☞with your legs folded

◇これらは厳密には「〜が〜された状態で」という意味を表します(「両手を交差された状態で」など)。人為的に両手を交差させたり、ドアが閉められたりしている状態です。しかし、そのように訳すと日本語が不自然になるため、「〜した状態で」と訳します。

② 付帯状況を表す「with＋名詞＋現在分詞」

現在分詞を使い、「〜が〜している状態で」という意味を表します。

◆手を交差させながら

☞with her hands crossing

◆照明が点滅した状態で

☞with the light blinking

◆ブザーが鳴った状態で

☞with the buzzer ringing

◆頭を振りながら

☞with his head shaking

③ 付帯状況を表す「with＋名詞＋形容詞（副詞、前置詞句）」

以下のように、「with＋名詞＋形容詞」などでも付帯状況を表せます。

◆蓋が開いた状態で

☞with the lid open（形容詞）

◆眼鏡をかけたままで

☞with glasses on（副詞）

◆手をポケットに入れた状態で（前置詞句）

☞with his hand in his pocket

（20）方向、場所を表す副詞（形容詞）

方向や場所を表す副詞は数多くあります。これらの多くは形容詞として浸透しているため、副詞であることがあまり知られていません。副詞は前置詞を付すことなく方向や場所を表せるので、簡潔な英文を書くときに効果的です。

以下に代表的なものを一覧に挙げるとともに、いくつかの例文を紹介します。

キーワード	英単語	備考
屋内に	indoors	副詞
屋外の、屋外で、屋外	outdoors	形容詞、副詞、名詞
上方の、上方に	upward	形容詞、副詞
下方の、下方に	downward	形容詞、副詞
上向きの	upwardly	副詞
下向きの	downwardly	副詞
時計回りの、時計回りに	clockwise	形容詞、副詞
反時計回りの、反時計回りに	counterclockwise	形容詞、副詞
外側の、外側に、～の外側に、外側	outside	形容詞、副詞、前置詞、名詞
内側の、内側に、～の内側に、内側	inside	形容詞、副詞、前置詞、名詞
下流の、下流に、下流	downstream	形容詞、副詞、名詞
上流の、上流に、上流	upstream	形容詞、副詞、名詞
階下の、階下に、階下	downstairs	形容詞、副詞、名詞

上階の、上階に、上階	upstairs	形容詞、副詞、名詞
東西南北（の、に）	east, west, south, north	形容詞、副詞、名詞
水平方向に	horizontally	
垂直方向に	vertically	
垂直方向に、縦方向に、長軸方向に	longitudinally	
斜め方向に	diagonally	
半径方向に	radially	

◆バーを上に上げる

☞raise the bar upward (upwardly)

◆外側の（内側の）表面

☞an outside (inside) surface

◆外は暖かい

☞It is warm outside (inside)

◆屋内に入る

☞enter indoors

◆屋外に洗濯機を設置する

☞install a washing machine outdoors

◆針を（反）時計回りに回す

☞turn the needle (counter) clockwise

◆容器の外側（内側）の空間

☞space outside (inside) the container

注）「外に行く」は“go outside”のように副詞としての“outside”によって簡潔に表現でき、“go to the outside”のように、名詞としての“outside”に“to”を付して表現する必要はない。

◆下流（上流）に流れる

☞flow downstream (upstream)

◆２階（階下）に行く

☞go upstairs (downstairs)

◆北（南、東、西）に向かう

☞head north (south, east, west) ※副詞としての用法

◆北（南、東、西）に向かって

☞head toward the north (south, east, west) ※名詞としての用法

(21) 範囲のルールと「～以上」「～以下」の英訳

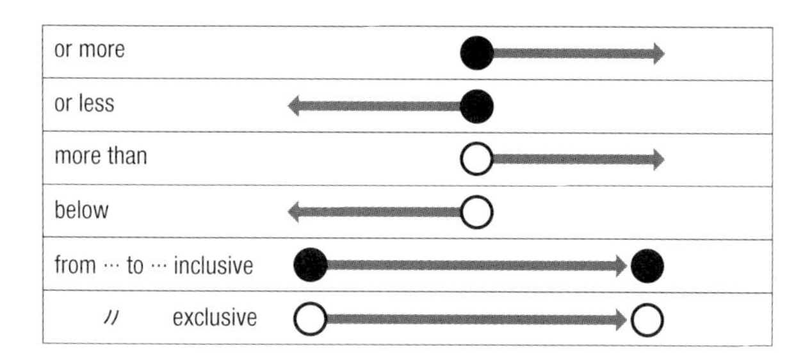

注）上記の「●」はその数字を含む、「○」は含まないことを示す。“from … to …”や“between … and …”については下記参照。

① 範囲を表す表現

“from … to …”や“between … and …”は範囲を表す表現です。このとき問題となるのは、両端の数字を含むか否かという点です。『技術系英文ライティング：基本・英文法・応用』〈中山裕木子著／日本工業英語協会（2009年）〉には、“from A to B”は「通常、AとBを含むと考え」、“between A and B”も「通常、AとBを含むと考えてよいですが、文脈によっては含まないと考える場合もあります」と記載されています。したがって、AとBを含ませたい場合は、“from A to B”のほうがよいことと、以下の例文が提案されています。

◆3～5（3と5も含む）
☞from 3 to 5 inclusive

◆3～5（3と5を含まない）
☞from 3 to 5 exclusive

②「～以上」「～以下」という表現

◆～以上
☞数字 or more (greater), not less than …

◆～以下
☞数字 or less, not more (greater) than …

一般英語では、「３以上」は“more than 3”、「３以下」は“less than 3”と訳すことがありますが、特許英語では正確性を重んじるため、その数字を含むのか否かについて、以下のとおり明確に訳します。

◆～以上の温度

☞a temperature of 100 ℃ or more (greater)

☞a temperature greater than or equal to 100 ℃

☞a temperature not less than 100 ℃

◆～以下の温度

☞a temperature of 100 ℃ or less

☞a temperature smaller (less) than or equal to 100 ℃

☞a temperature not more (greater) than 100 ℃

(22)「～する角度で」「～する範囲で」の英訳

これらも頻出の表現ですが、英訳は少し回りくどい表現をします。

①「～する角度で」

◆太陽光は90度で遮光できる。

☞Sunlight can be shielded at 90 degrees.

注)「～度で」は、“at … degrees (an angle)”と表現し、角度(angle)を先行詞とする関係代名詞の文章に書き換える場合は以下のようになる。

◆太陽光を遮光できる角度

☞An angle at which sunlight can be shielded

◆太陽光を遮光できる角度に日除けを設置する。

☞A sunshade is installed at an angle at which sunlight can be shielded.

②「～する範囲で」

◆太陽光を遮光できる範囲に日除けを設置する。

☞A sunshade is installed within a range within which sunlight can be shielded.

(23) コロン、セミコロンを使う

① コロン(：)

「すなわち～／以下に列挙します」等、補足説明や例示する場合に使います。

◆**この瓶は２つの部分、すなわち第１の部分と、第２の部分（本体、ネック、取っ手）よりなる。**

☞This cup consists of two parts: the first part; and the second part having a body, a neck, and a grip.

② セミコロン（；）

複数の文章を対比したり、つないだりする役割を果たします。

◆**正置ブロックは第１フレーム内に置かれ、倒置ブロックは第フレーム内に置かれる。**

☞The normal blocks are placed in the first frame; the inverted blocks are placed in the second frame.

③ 請求の範囲、明細書で使うセミコロン

特許翻訳において、請求の範囲の「〜と、〜と、〜とを備え」を英訳する際、以下のようにコロンやセミコロンを使います。

◆**本体部、及び把持部、突起部、円形部を有する栞を備えたマスコット品**

☞A mascot item comprising:

a body; and a bookmark having a grip, a protrusion, and a circular part.

◇上記のように、「把持部、突起部、円形部」は「栞」がさらに有するものであり、これらを「コンマ（,）」でつないでいます。請求の範囲だけでなく、明細書を英訳する際にも「コロン（：）」や「セミコロン（；）」を使うことができます。

なお、日本語でコロン（：）、セミコロン（；）は使いません。"… comprises …; and …"を和訳するときは以下のように読点を使って表現します。

➢本体部と、_把持部、_突起部、_円形部を有する栞とを備えたマスコット品。

2．類似する単語やフレーズの相違
Differences in Similar Words and Phrases

(1) canとmay

いずれも助動詞であり、「～できる、～の場合がある」という意味を表します。しかし、両者のニュアンスは異なります。

① ～できる、許可

◇“may”は「～しても差し支えない、～してもよい」を意味する助動詞であり、「許可」を表しています。

◆少し質問してもいいですか？

☞May I ask you some questions ?

注)“can”にも許可の意味があり、「be physically or mentally able to」〈Merriam-Webster〉「(肉体的、精神的に) ～できる」という意味もある。

◆あなたはこの部屋にいても構わない。

☞You can stay in this room.

◆英語を流暢に話せますか？

☞Can you speak English fluently ?

② ～の場合がある

“can, may”はいずれも「～する可能性がある」「～の場合がある」という意味を有します。可能性を示す点ではどちらも同じであり、50%程度の可能性を表しています。特許翻訳では“can, may”を多用します。特許請求の範囲では特許発明を限定せず、できるだけ広い権利を取得するように記載すべきだからです。また、明細書でもさまざまな部材や使用方法、用途があることの可能性を残すために、「～であってもよい」という表現にします。

“can, may”のいずれも可能性を表すため、翻訳者はその使い分けで悩むと思いますが、例えば、「日除けが日光を遮蔽できる」という場合、通常は日除けの能力を表していると捉えて“can”を使います。しかし、「遮蔽する可能性がある」と捉えるならば、“can, may”のどちらでも使えます。

ただし、“can”は、「(実績に基づいて) ～という可能性がある」ことを表すのに対し(例：彼は練習を積んでいるから優勝するであろう)、“may”は単純な推測で可能性を表すという違いがあります。

「日除け」の明細書でも、「日除けが日光を遮蔽できる」のは根拠があってこのように述べているため、英訳ではあえて“can”を使っています。

(2) ifとwhen

“if, when”の区別は難しく、「～の場合」と表現したいときにどちらを使うかで迷う方は多いでしょう。

① if

「もし～ならば、～と仮定すると」を意味し、起きるかどうかが分からない、不確実な場合に使います。

◆もし、彼がパーティーに来たら
☞If he comes to the party

◆もし、明日晴れたら
☞If it is fine tomorrow

◆もしあなたが試験に受かったら
☞If you pass the exam,

◆もしこの発明が特許されたら
☞If this invention is patented

② when

“when”のほうが“if”よりも可能性が高く、“When we go home(家に帰るとき)”のように、起きることが前提、もしくは確実に起きる場合に使います。

◆彼がパーティーに来るときには
☞When he comes to the party

◆あなたが部屋を出るときは
☞When you leave the room

◆(気候が)暖かくなったら
☞When it gets warmer

◆私が仕事を終えるときには
☞When I finish my work

(3) includeとcontain

翻訳者にとって、いずれも「含む」を意味する単語の使い分けは常に悩みの種です。「Cambridge Dictionary」で調べつつ、以下に例文を挙げます。

include：to contain something as a part of something else, or to make something part of something else
著者訳：何か別のものの一部として何かを含んでいる、何かを別のものの一部としている。

◇要するに、"include"は一部として含まれていることを意味します。

◆この価格には消費税が含まれている。

☞The price includes consumption tax.

◆このランチにはコーヒーが含まれている。

☞The lunch menu includes coffee.

◇"include"は以下のように、構成要素を述べるときにも使います。

US 2011/0068929 A1（米国出願公開2011/68929号）
Examples of such input means include a keyboard, a mouse, a touch pad, a microphone, a scanner, a card reader and the like.
著者訳：そのような入力手段としては例えば、キーボード、マウス、タッチパッド、マイク、スキャナー、カードリーダーなどがある。

◇上記のように、「入力手段には〜がある」と述べるようなときにも使います。

contain：to have something inside or include something as a part
著者訳：内部に何かを有している、部分として何かを含んでいる。

◇要するに、"contain"は全体としてして含まれていることも意味します。

◆このグラスにはオレンジジュースが入っている。

☞The glass contains orange juice.

◆このフォルダーには５つのファイルが入っている。

☞This folder contains 5 files.

（4）between と among

「〜間」を意味するこの２つの単語の区別に迷うときがあります。

① between

“between”は２つの物（人間）の間、“among”は３つ以上の間と理解している方が多いと思いますが、実は、“between”は２つだけでなく、以下のように「具体的な３つ以上の間」を表現するときに使うことができます。

◆A市はB市、C市、D市に囲まれて配置されている。

☞City A is located between City B, City C, and City D.

◇上記のように複数の具体的なものを列挙し、それらに囲まれている場合です。また、「40～60°」のように範囲を表すときにも使います〈p. 197 1. (21) 参照〉。

② among

“among”は２つの間では使えませんが、不特定多数でひとくくりに表現するものの間にあるときに使います（例：among people, among passengers, among students）。

(5) bondとbind

「くっつける」という意味では同じですが、“bond”には「接着する」、“bind”には「縛る」という意味があります。「日除け」の明細書でも、「端部同士を接合する」という場合、“bond one end to each other”と訳しています。

以下のとおり、両者の違いを表で比較してみましょう。

	bond	bind
意味	他動詞：くっつける、接合する、接着するなど 自動詞：接着する、固着するなど	他動詞：縛る、くくる、結び付ける、巻き付けるなど 自動詞：結び付く、固まるなど
活用	現在：bond、過去：bonded 過去分詞：bonded 現在分詞：bonding	現在：bind、過去：bound 過去分詞：bound, bounden 現在分詞：binding

(6) coupleとconnect

「結び付ける」という意味ではどちらも同じですが、「Cambridge Dictionary」には以下のように記載されています。

couple: to join or combine
著者訳：つなぐまたは組み合わせる

connect: to join or be joined with something else
著者訳：つなぐまたは何か他のものとつながれる

◇"connect"には、「（電話を代わる意味での）つなぐ」「（輸送手段が）連絡する」「（インターネットに）接続する」などの意味があります。そして、以下の例文のように、「連結する」「連想する」などではどちらも使うことができます。
◆連結された電車の車両。
☞Train cars are coupled (connected) to each other.

（７）another と the other

「他の」を英訳することは多いですが、"another, the other, other"など、いくつかの訳語があります。これらを使い分ける必要があります。

① another

「Merriam-Webster」には以下のように掲載されています。

another:
1. different or distinct from the one first considered
2. some other
3. being one more in addition to one or more of the same kind
著者訳：
１．最初に考えた他のものとは異なるまたは別個の
２．他の何らかの
３．１つ以上の同一種類に加えて、もう１つということ

◇つまり、「残りの１つ」ではなく、以下のように漠然とした「別の」ものを指すときに"another"を使います。

◆他の側面から見た同じもの

☞the same thing seen from another aspect

◆他のチャンスを待つ

☞wait for another chance

◆もう一杯の紅茶

☞another cup of tea

②the other

「Merriam-Webster」には以下のように掲載されています。

the other：

1. the person or thing that remains or that has not been shown or mentioned yet
2. an opposite place or thing

著者訳：

１．残りの人または物、まだ示していないし、言及していない人または物、
２．反対側の場所または物

◇なお、以下のように“the other”は「２つのうちの残り１つ」を、“the others”は「複数のうちの残り全部」を指します。

◆川の対岸

☞the other side of the river

◆(一つは青で)残りはすべて灰色

☞the others are all gray

③other

「Merriam-Webster」には、“not the same”(同じでない)、“additional”(追加の)等の意味が掲載されています。“any other company”(どこか別の会社)のように「何か違うもの」を指したり、“10 other blocks”(さらに10個のブロック)のように「追加の」を表したりしていることが分かります。“another”は単数の名詞に付しますが、“other”は複数の名詞に付して「他の(複数の)もの」を、“others”は「他の人たち、他の(複数の)もの」を意味します。

(8) attach と mount

「取り付ける」や「搭載する」などを英訳する際によく使われるのが、この2つです。

① 英英辞典の意味

「Cambridge Dictionary」には、以下のように記載されています。

mount：to fix something to a wall, in a frame, etc., so that it can be looked at or used
著者訳：見ることができるように、あるいは使用できるように、何かを壁、フレーム等に固定する。

attach：to fasten, join, or connect something
著者訳：何かをくくり付ける、接合する、接続する

② 英和辞典の意味

「英辞郎 on the WEB」では、"mount"は「取り付ける、はめ込む、埋め込む、備え付ける、搭載する、実装する、組み込む」、"attach"は「取り付ける、貼り付ける、添える、添付する、加える」という意味が掲載されています。

「日除け」の明細書でも「日除けブロックをフレームに組み付ける」には"mount"を使っています。

(9)「～の上」と「上部」

「～の上」の訳語には"on, above, over"などがあります。

① on

基準になるものに接している状態であり、必ずしもそれより「上」であることを意味しません。

◆壁に掛かった時計
☞ a clock on the wall

◆裏面の穴
☞a hole on the back face

② above

「ある基準から高い位置にあること」を指しており、基準に接しているわけではありません。

◆テーブル上方のランプシェード

☞The lamp shade above the table

注)「Cambridge Dictionary」には、“in or to a higher position than something else”(他のものよりも高い位置にある)と記載されている。

③ over

これも“above”と同義で「上に」という意味がありますが、「覆う」ことを意味する場合があります。「Cambridge Dictionary」では、“above or higher than something else, sometimes so that one thing covers the other; above”と定義しています(他のものより上あるいは高く、他方を覆うような状態になる場合もある)。

◆我々の頭上のテント

☞The tent over our heads

◇「上部」は、頂上(on the top)、上側(上のほう)の部分(on the upper part)のほか、「(接している場合) ～の上に(on)」や「(接していない場合で) ～の上方に(over)」などを意味する場合もあるため、図面を見ながら、いずれの意味なのかを明確にしてから訳す必要があります。

(10) 回転と回動

回転と回動の違いについて、特許業界では一般に以下のように理解されています。

「回転」は、くるくる回ること。一方向に円運動すること(revolve, spin, rotateなど)。「回動」は、正逆方向に円運動すること(move rotationally, revolve)。

「回転する」の英単語は非常に数が多いため、場面に応じて適切な訳語を選ばなければなりません。「Weblio辞書」に掲載されている内容を次ページのとおり表にまとめました(「自他」は自動詞であり他動詞)。

英単語	意味（自動詞のみ）
pivot（自他）	（…を軸として）旋回する
revolve（自他）	回転する、ぐるぐる回る
swivel（自他）	旋回（回転）する
whirl（自他）	ぐるぐる（くるくる）回る、渦巻く
turn（自他）	回る、回転する
rotate（自他）	（軸を中心として）回転する、〈天体が〉自転する
spin（自他）	（コマなどが急速にくるくる）回る

（11）portionとpart（箇所と部分）

特許翻訳では「箇所」と「部分」の違いに悩むことがあります。「箇所」はある場所を、「部分」は全体をいくつかに分けたものの一つを指します。「接合箇所」の場合、「接合している場所」なので、「箇所」が適切であることが分かります。「箇所」や「部分」の訳語として、“portion, part”が挙げられますが、「Merriam-Webster」では、以下のように定義しています。

portion：an often limited part of a whole
著者訳：全体のしばしば限られた部分

part：
1. one of the often indefinite or unequal subdivisions into which something is or is regarded as divided and which together constitute the whole
2. an essential portion or integral element

著者訳：
1．何かが分割されている、または分割されているとみなされ、一緒に全体を構成する、しばしば不明確または不均等な細分化の一つ
2．本質的な部分または不可欠な要素

◇内容に応じて、「箇所＝portion, position, place」「部分＝part」と使い分けるのも一例です。「箇所＝part／部分＝portion」のように逆に使い分けることもあります。

(12) in order toとso as to

① 両者の用法

どちらも「～するために」を意味し、“so as to”には「～とするように」の意味もあります。

◆上記の課題を解決するために、本発明は日除け構造を提供することを目的とする。

☞In order to solve the aforementioned problems, the present invention aims at providing a sunshade structure.

◆前者を通常のブロックと呼び、後者を倒置ブロックと呼ぶことにより、両社を区別する。

☞The former shall be referred to as a normal block, and the latter shall be referred to as an inverted block, in order to distinguish both.

◇上記例文のように“in order to”の前にコンマ(,)を付すことで、付さなかった場合とは異なる意味を表現できます。ただし、英会話やリスニングではコンマの所在が分からないので、これはライティングならではのことです。

◆円形部材は同じ方向を向くように配列されている。

☞The circular members are aligned so as to face the same direction.

② 両者の用法の違い

“In order to”は文頭に置けますが、“so as to”は文頭に置けません。

◆問題を解決するために、本発明は…

☞In order to solve the problem, this invention … (○)

☞So as to solve the problem, this invention … (×)

また、「主語が～するために」(In order for … to …)のように“for”の後に主語を置いて、「主語がto不定詞以下のことができる」と表現できますが、“so as to”はこれができません。

◆彼が健康を維持するために、私は料理をします…

☞In order for him to maintain his health, I cook … (○)

☞So as for him to maintain his health, I cook … (×)

◇つまり、"so as to"フレーズの意味上の主語と、その前にあるフレーズの主語は、同一であることが必要なのです（※参考サイト：QQE英語コラム）。

（13）in this caseとin that case

特許翻訳では、前の文章に続けて、"In this case"や"In that case"と英訳することが頻繁にあります。和文の「この場合～」「その場合～」に当たる表現です。しかし、翻訳者は、両者のどちらを選択すべきかで迷ってしまうことが多いのです。

①両者の違い

"In this case"は「本件では、この場合」を意味します。これに対して、"In that case"は「どちらが起こるか分からず（雨が降るかもしれないし、降らないかもしれない）、もし降ったら」「そういう事情なら」「それなら」「そのときは」「万が一起こったら」などの意味を有します。

…と言っても分かりにくいと思うので、以下に具体的な例文を示します。

②例文で見る両者の違い

◆この発明を来週の会議で発表する。この場合、発明は新規性を失う。

☞I will announce this invention at a conference next week. In this case, the invention will lose novelty.

◆本件では、新規性の喪失の例外規定が適用される。

☞The exception to loss of novelty shall apply in this case.

◆この場合（本件では）、研究者らは全員共同発明者となる。

☞In this case, all the researchers are joint inventors.

◆天気予報によると明日は雨が降るらしい。それなら家で読書しよう。

☞The weather forecast says that it will rain tomorrow. In that case, we will read books at home.

◆私はパーティードレスがないかもしれない。それならドレスを買いに行こう。

☞I may not have a dress for a party. In that case, let's go shopping to buy a dress.

（14）That (This) is why と This (That) is because

理由を述べるのか、理由による結果を述べるのかという違いがあります。

① That (This) is why

◆これが私がこの絵を買った理由である。

☞This is why I bought this picture.

◇「それ(これ)が〜の理由です」「そういう訳で〜します」というフレーズであり、"why"の後に「〜」の部分を記載します。

注）上記例文では、"That (This) is the reason why"の"the reason"が省略されている。

② That (This) is because

◆私はこの絵を買った。その理由はそれが美しいからである。

☞I bought this picture. This is because it is beautiful.

◇「その理由は〜だからである」という意味を表します。"because"はその後に理由を述べる接続詞だからです。

以上、この２つのフレーズは非常に混同しやすいので、"why"と"because"を手掛かりに区別しましょう。

3．冠詞と可算・不可算名詞
Articles and Countable / Uncountable Nouns

(１)冠詞と可算・不可算名詞のルール

特許翻訳では定冠詞と不定冠詞のルールが厳格に適用されています。

① 特定・不特定のルール

	可算名詞(単数)	可算名詞(複数)	不可算名詞
特定不可	不定冠詞(a, an)	何も付さずに複数形	何も付さない
特定可	定冠詞(the)	定冠詞(the)	定冠詞(the)

注)「特定可」とは名詞が特定されていること。一つの文書や文章中で２回目以降の登場であれば「特定可」を、初出であれば「特定不可」を意味する。

② その他のルール

定冠詞“the”を付す例		無冠詞の例	
月／太陽	the moon / the sun	病名	influenza
山脈	the Himalayas	輸送手段	by truck
川	the Mississippi	スポーツ	play tennis
列車名	the Nozomi	季節	Summer is coming
時間帯	in the morning	空港	Haneda Airport
～単位で	buy … by the gram	食事の名前	have lunch
方角	the south	テレビ	watch … on TV
序数	the first	慣用句	at night, in fact

また、月の位相を述べる場合は不定冠詞(a full moon)、病名でも、頭痛(a headache)や形容詞の付く食事(a late lunch)などは不定冠詞を付します。

さらに、特定の季節(the fall of 2020)、何を指すかが分かるもの(例：Open the door)は初出でも“the”を付し、総称として「the＋形容詞(例：the rich(富裕層)」や「無冠詞＋複数形(例：Telephones are useful)」、発明として「定冠詞＋単数形(The telephone was invented in 1867)」もあります。

なお、名詞に修飾語句を付す場合は特定されるため“the”を付しますが(例：This is the book I bought at that store)、複数の不特定の本のうちの一冊という場合は不定冠詞を付します(例：This is a book I bought at that store)。

③ 特許翻訳における例外

前ページの(1)①は特許翻訳の大原則ですが、例外もあります。(1)②も特許翻訳に適用されますが、例えば“a first block”や“a second block”のように、初出では不定冠詞を付すこともあります。

(2) length, height, temperatureの可算と不可算

① 原則として不可算名詞

それぞれ、「長さ、高さ、温度」という意味を表す場合は不可算名詞です〈例：棒の長さ(the length of a bar)〉。

② 具体的な長さ等を表す場合

これらの単語を用いて1点の「長さ、高さ、温度」を表す場合には可算名詞となり、「a＋物理量＋of＋数値＋単位」という順番で数値を表します。

◆この棒の長さは2メートルである。

☞This bar has a length of 2m.

注)『科学技術英語翻訳集中ゼミ』(富井篤著／オーム社)pp. 67-69参照。

③ temperatureの場合

では、可算名詞として捉えた場合の“temperature”(温度)は単数でしょうか？それとも複数でしょうか？

◆この食品を5～10℃の温度で保存してください。

☞Store this food at a temperature of between 5 to 10 degrees.

☞Store this food at temperatures of between 5 to 10 degrees.

◇「5～10℃」を一つの温度と捉える場合は“a temperature of …”、「5～10℃」を複数の温度と捉える場合は“temperatures of …”とします。上記の訳例はいずれも正解です。

4．自動詞と他動詞
Intransitive Verbs and Transitive Verbs

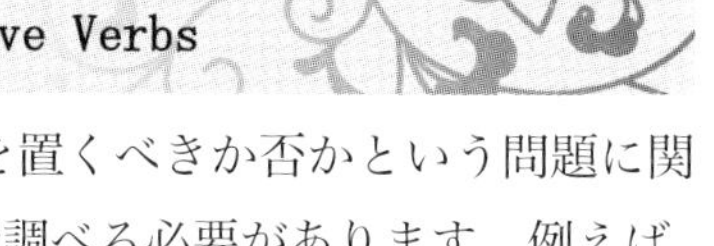

特許翻訳をする際は、目的語の前に前置詞を置くべきか否かという問題に関わってくるため、自動詞と他動詞の別を辞書で調べる必要があります。例えば、“access”は他動詞のみであるため、以下のように前置詞は不要です。

◆我々はインターネットサイトにアクセスする。

☞We access the Internet site.

◇一方、“approach”は自動詞であり他動詞でもあるため、以下も成立します。

◆冬が近づいている。

☞Winter is approaching.

◇なお、以下のような英訳は誤りです。

◆敵が近づいている。

☞The enemy is accessing to us.　(×)

(1) 自動詞

自動詞は主語自身(自体)が何か動作を行っていることを表すため、その「何か」の前に前置詞が必要です。

◆この道は大学に通じている。

☞This road leads to the university.

◇道自体が大学まで通じるという動作を表しており、その行き先の前に前置詞を置いています。

(2) 他動詞

一般に、他動詞は目的語に何かをする動作を表すため、目的語の前に前置詞を置きません。

◆この道を進めば大学まで行ける。

☞This road leads you to the university.

◇“to the university”の“to”は行き先を示しているだけであり、他動詞としての“lead”は、“you”を連れていくことを表現しています。

(3) 自動詞と他動詞の見極めが重要

特許翻訳で頻繁に使う動詞には、例えば、reach(自動詞、他動詞)、arrive(自動詞)、form(自動詞、他動詞)、assemble(自動詞、他動詞)、collect(自動詞、他動詞)などがあり、自動詞と他動詞の区別を知ることが必要です。

① 日本語の意味から自動詞／他動詞を判断しない

例えば、“lead”は「〜をリードする」という日本語になっているため、“lead”は自動詞でもあることに気づかない人は多いかもしれません。

しかし、“All roads lead to Rome”(すべての道はローマに通ず)ということわざを思い出せば、“lead”は自動詞として使われていることが分かります。“reach”も「〜に届く」という意味から他動詞のみと思われがちですが、自動詞でもあります。単語の日本語訳から自動詞／他動詞を判断せずに、その都度きちんと調べることが重要です。

② 自動詞／他動詞いずれの意味かを確認

1つの単語には複数の意味があり、意外な意味を辞書で知ることがあります。このとき必要なのは、自動詞と他動詞のいずれの意味なのか、どのような前置詞を伴って使うのか等を確認することです。これを知ることで正しい英文を書くことができるようになり、表現力も豊かになります。

例えば、“reach”は「届く、達する」以外にも「(影響力が)及ぶ」「連絡する」などの意味もあり、これらの意味を表すために英文を書くには、その用法を知ることが必要です。

◆代理人には○○○の番号で連絡できる。

☞An attorney can be reached at ○○○.

◇“I can reach an attorney at ○○○”のように、“reach”を他動詞として、「〜に連絡する」という意味で使った文章の受動態です。

◆彼の影響力は、我々のグループ以外にも及ぶ。

☞His influence reaches beyond our group.

注)上記は自動詞としての“reach”を「及ぶ」という意味で使っている。

5. 関係副詞と関係代名詞
Relative Adverbs and Relative Pronouns

(１) 関係副詞・関係代名詞

関係副詞には“when, where, why, how, that”があり、関係詞節にある文章では副詞として機能します。関係代名詞には“which (whose), who (whose, whom), that”があり、先行詞である名詞とそれを説明する節を結び付けます。主語、目的語となるはずの言葉が、先行詞として関係代名詞の前にくるので、関係詞節では名詞がない状態となります。

① 関係副詞

i) 関係副詞“when”

◆夏は太陽光が強い季節です。

☞Summer is a time when the sun is intense.

◇上記は以下のように書き換えることができます。“in summer”は副詞として機能しています。先行詞“time”は省略可能です。

☞Summer is a time. The sun is intense in summer.

ii) 関係副詞“why”

◆これが、私が横浜を愛する理由です。

☞This is the reason why I love Yokohama.

注) 先行詞の“reason”や“why”は省略されることも多い〈p. 211 2. (14) 参照〉。

iii) 関係副詞“how”

◆これが、我々がブロックを組み立てる方法です。

☞This is how we combine blocks.　(○)

☞This is the way we combine blocks.　(○)

☞This is the way how we combine blocks. (×)

◇“the way”と“how”の併用はできませんが、“how”を“in which”に置き換えれば問題ありません(This is the way in which we combine blocks.)

iv）関係副詞“where”

◆横浜は私が住む都市です。

☞Yokohama is the city where I live.

☞Yokohama is the city in which I live.

☞Yokohama is the city which I live in.

◇上記のように“where”を「前置詞＋関係代名詞（in which）」に替えることもできます。以下の“which”は関係代名詞であり、これとの区別が必要です。

◆横浜は私が先月訪れた都市です。

☞Yokohama is the city which I visited last month.

v）関係副詞“that”

“when, why”等に代えて“that”を使うことができます。また、先行詞が“place”や“anywhere”のように“where”が付く場合、以下のように“that”を関係副詞として使います。しかも、この場合の“that”は省略可能です。

◆我々がブロックを置くことができる場所を知っていますか？

☞Do you know anywhere (that) we can place the blocks ?

② 関係代名詞

i）関係代名詞“which, that”（人以外が先行詞であるとき）

a）主格の関係代名詞（主語が先行詞となる関係代名詞）

◆多くのブロックを収納する箱が置かれている。

☞The box which contains many blocks is placed.

◇“The box contains many blocks”のように、関係代名詞“which”は関係詞節では主語として機能します。

b）所有格の関係代名詞

◆表面に多くの穴を有する箱が置かれている。

☞The box whose surface has many holes is placed.

◇“The surface of the box has many holes”のように、先行詞の有するものを関係詞節で説明します。所有格の関係代名詞として“that”は使えません。

☞The box the surface of which has many blocks is placed.
注）先行詞が人以外の場合、「名詞＋of which」で所有格を表すこともできる。

c）目的格の関係代名詞
◆作業者らが形成した箱が置かれている。
☞The box which the workers formed is placed.
◇"The workers formed the box"のように関係代名詞"which"は関係詞節では目的語として機能します（目的格の関係代名詞は省略されることがあります）。

ii）関係代名詞"who, that"（人が先行詞であるとき）
a）主格の関係代名詞
◆ドアのところに立っている男性は私の父である。
☞The man who is standing at the door is my father.
◇"The man is standing at the door"のように、関係代名詞"who"は関係詞節では主語として機能します。

b）所有格の関係代名詞
◆娘さんが私の友達である男性がドアのところに立っている。
☞The man whose daughter is my friend is standing at the door.
◇"The man's daughter is my friend"のように、先行詞の有しているものを関係詞節の中で説明します。なお、所有格の関係代名詞として"that"は使えません。

c）目的格の関係代名詞
◆私が好きな男性がドアのところに立っている。
☞The man who I love is standing at the door.
◇"I love the man"のように、関係代名詞"who"は関係詞節では目的語として機能します。なお、目的格の関係代名詞は省略されることがあります。
注）目的格では"who"のほか"whom, that"があるが、"who, that"を使うことが多い。

iii) 関係代名詞"that"がよく使われる場合

a) "every, any, no, little, much, all"(「すべて」「無」等を意味する)、"the first, the last, the only, the very"(「第1の」「唯一の」「まさに」等を意味する)が先行詞に付されている場合("everything, nothing"が先行詞である場合も含む)

◆私が言いたいことはこれがすべてである。

☞This is all <u>that</u> I want to tell you.

b) "the most …"のように先行詞が最上級であるとき

◆これは私がこれまで見たなかで最も美しい絵である。

☞This is the most beautiful picture <u>that</u> I have ever seen.

c) 「人+人以外」が先行詞であるとき

◆川で水浴びしている少女と猫を私は知っている。

☞I know a girl and a cat <u>that</u> are bathing in the river.

d) このほか、疑問詞"Who"の後に関係代名詞が置かれる場合

◆友達がたくさんいる人が孤独を想像できるだろうか？

☞Who <u>that</u> has many friends can imagine solitude ?

e) 先行詞が人間の性質や状況を表している場合(whoは使わない)

◆トモコは20年前の彼女ではない。

☞Tomoko is not the woman <u>that</u> she was 20 year ago.

iv) 関係代名詞"what"

先行詞と関係代名詞を含んでおり、「〜するもの」と訳します。「thing+which(that)」が組み合わさった関係代名詞であると考えることができます。

◆研究者を悩ませるのは、この不便な道具である。

☞What troubles the researcher is this inconvenient tool.

注) "what"は名詞節を作り、主語、目的語、補語となる(上記英文では主語)。

◆私ができる限りの助言をすべて行う。

☞I will give you what advice I can.

注)「できる限り助言」という意味で"what"が関係形容詞(名詞を後に置いて形容詞として機能する関係代名詞)として機能する。

v)「～であると考えるところの～」という関係代名詞

"think, believe, hear, know"などの動詞により、「(主語が) ～であると考える(信じる、聞く、知るなど)ところの(先行詞)」という関係代名詞です。

◆私がマネージャーであると思った人物は彼の弟であった。

☞The person who I thought was a manager was his brother.

◇以下のように書き換えると分かるように、"the person"は主語であり、主語が先行詞となっています。したがって、主格の関係代名詞である"who"を使います。この場面で"whom"を置いてしまう方がいるので要注意です。

☞I thought that the person was a manager. The person is his brother.

vi)前の文章を先行詞とする関係代名詞

◆彼が私にプレゼントをくれたことで、私のクラスに騒動が巻き起こった。

☞He gave me a present, which caused a trouble in my class.

◇このように、前の文章が先行詞になるときは、「コンマ(,)＋関係代名詞(which)」とします。これは次に説明する継続用法です。

(２)関係代名詞・関係副詞の限定用法、非限定(継続)用法

関係代名詞や関係副詞には限定用法と非限定(継続)用法の２つがあります。これらの言葉も大事ですが、「コンマ(,)＋関係代名詞(関係副詞)」と「コンマ(,)なしの関係代名詞(関係副詞)」の違いのほうが、より重要です。

① 非限定用法(継続用法)

◆私には２人しか息子がいない。その息子たちは２人とも教師である。

☞I have two sons, who are teachers.

◇コンマの前の文章で区切り、コンマ以降の文章は別の文章として訳すことができます。以下のように、コンマをピリオドと捉えてもよいです。

☞I have two sons. They are teachers.

注）非限定用法では、上記のように文章を２つに書き換えて訳せば、ニュアンスがきちんと伝わる。関係代名詞として“that”を使うことも多いが、非限定用法では“that”を使うことができない。

◆ブロックはある場所に運搬され、ここで組み立てられる。

☞The blocks are transported to the place, where they are assembled.

◇コンマと関係副詞により、場所の情報を追加しています。

◆我々はブロックを組み合わせましたが、そのほとんどが合成樹脂製です。

☞We combined blocks, most of which are made of synthetic resin.

◇前記のように「そのほとんどが～」として話を継続させることも、以下のように「そのほとんどは～」として、文中に挿入することもできます。

◆そのほとんどは合成樹脂製であるブロックが組み合わされる。

☞The blocks, most of which are made of synthetic resin, are combined.

注）その他、“both of which, some of which, any of which, all of which”など、数多くのフレーズを使うことができる。一方、「人」が先行詞であるときは、“both of whom, some of whom, any of whom, all of whom”のように表現する。

◆この発明を来週の会議で発表し、その場合、発明は新規性を失う。

☞I will announce this invention at a conference next week, in which case the invention will lose novelty.

注）「その場合」という意味で“which”が関係形容詞として機能する。

② 限定用法

◆私には教師である２人の息子がいる。

☞I have two sons who are teachers.

◇関係詞節から訳します。ほかに息子がいるかもしれませんが、少なくとも教師である２人の息子がいることに限定して表現しています。

◆ブロックは、組み立てられる場所に運搬される。
☞The blocks are transported to the place where they are assembled.
注）関係副詞節から訳していく。なお、非限定用法に、“that, what”（関係代名詞）や“why, how”（関係副詞）は使えない。また、限定用法では、固有名詞や“this block”“my husband”など、特定されているものは先行詞にならない。限定用法は先行詞を限定する用法であるため、１つしかない固有名詞をさらに限定することになるからである。

◆私は偉大な音楽家であるモーツァルトを尊敬しています。
☞I respect Mozart,_ who is a great musician.　　（○）
☞I respect Mozart who is a great musician.　　（×）
◇上記（×）のように記載すると、「複数のモーツァルトがいるなかで偉大な音楽家でもあるモーツァルトを尊敬している」という意味になってしまうため、モーツァルトの後にコンマが必要になります。

③ 限定・非限定用法を特許翻訳に応用

特許翻訳においても、関係代名詞の前にコンマを付して先行詞や前の文章などを説明したり、あえてコンマを付さないことで先行詞を限定したりすることができます。以下に例文を紹介します。

◆日除けはブロックが形成するユニットを含んでいる。
☞The sunshade contains a unit which is formed by blocks.
◇「日除けはユニットを収納しており、それ以外のものも収納しているかもしれないが、少なくともブロックが形成するユニットを収納している」ことを意味しています。
☞The sunshade contains a unit,_ which is formed by blocks.
◇「日除けはユニットを含んでおり、このユニットはブロックが形成するものである」ことを意味しています。

◆データはサーバーに送信され、そこで加工される。
☞The data is sent to the server, where it is processed.

6．to不定詞
to-infinitive

「不定詞（to＋動詞原形）」には、形容詞的用法や副詞的用法、名詞的用法があります。

（1）副詞的用法

動詞、形容詞、文章等を修飾し、目的、結果等を表します。以下のような文章が典型的な目的を表す用法です。

◆ブロックを買うために買い物に行った。

☞I went shopping to buy blocks.

◆目を覚ますと、我々のテントが破壊されていることに気づいた。

☞I got up to find that our tent was damaged.

◇テントが破壊されていることに気づくために目を覚ましたわけではないため、和訳する際には要注意です！

（2）形容詞的用法

不定詞がその前に置かれる名詞を修飾する用法です。

◆ブロックを組み合わせる誰か

☞someone to combine blocks（to不定詞の前に置かれる名詞が主語）

◆取り付けるブロック

☞a block to mount（to不定詞の前に置かれる名詞は目的語）

◆描くための絵筆

☞A paintbrush to draw with（“with”には「～を使用して」の意味がある）

（3）名詞的用法

文中で主語、目的語、補語の役割を果たします。

◆この発明の目的は効果的なブロックを提供することである。

☞The purpose of this invention is to provide an effective block.

注）to不定詞が補語として機能している。

7. 比較
Comparison

(1) 比較級と最上級を使った比較

① 比較級と最上級の原則と例外

	単語	比較級	最上級
原則		語尾に -er を付す	語尾に -est を付す
例外1	語尾が1母音字＋1子音字の単語（big など）	子音字を重ねて er を付す	子音字を重ねて est を付す
例外2	語尾が子音字＋yの単語（pretty, happy など）	yをiに変えて er を付す	yをiに変えて est を付す
例外3	語尾がeである単語（nice, fine など）	r のみを付す	st のみを付す
例外4	2音節のほとんどの単語、3音節以上の単語（beautiful, wonderful など）	more を付す	most を付す
例外5	ly で終わる副詞（effectively, slowly など）	more を付す	most を付す
例外6 不規則変化の単語	good	better	best
	bad	worse	worst
	badly（副詞）	worse	worst
	little	less	least
	well	better	best
	many	more	most
	much	more	most
	ill	worse	worst
例外7 二通りの変化がある単語	far（距離が遠い）	farther	farthest
		further	furthest
	far（さらに）	further	furthest
	old（老いた）	older	oldest
	old（年長の）	elder	eldest
	late（時間が遅い）	later	latest
	late（順番が遅い）	latter	last

② 程度を付した比較級

◆物質Aは物質Bの2.5倍の厚さである。

☞Substance A is two and a half times thicker than Substance B.

◇「1.5倍(one and a half times)」や「３倍(three times)」など、程度を表す言葉を比較級の前に置きます。ただし、「２倍(twice)」を比較級の前に置くことはできません。

☞Substance A is twice as thick as the substance B.

③ 比較の対象に注意する

何を比較するかによって文章の構造が変わります。

ⅰ) 主語同士の比較

◆AはBより早く加熱される。

☞A is heated faster than B.

ⅱ) 主語の所有しているモノ同士の比較

◆Aの温度はBの温度より高い。

☞The temperature of A is higher than that of B.

注) AとBの「温度」を比較しているので、比較対象も"the temperature of B"とする必要があるが、"that of B"と言い換えが可能。

◇「物質Aの温度は物質Bの温度より高い」が、「物質Aの温度は物質Bより高い」と表現されていることがあり、これを以下のように英訳すると正確な意味が伝わらないため、「物質Bの温度」という言葉を補う必要があります。

☞The temperature of Substance A is higher than Substance B. ←(×)

◆物質Aの温度と湿度は物質Bより高い。

☞The temperature and moisture of Substance A are higher than those of Substance B.

注) 複数のモノ同士を比較する際には、"those"と訳す必要がある。

ⅲ)「主語が有しているモノ同士の比較」を「主語同士の比較」に英訳

◆物質Ａの表面は物質Ｂより硬い。

☞The surface of Substance A is harder than that of Substance B.

◇"the surface of …"を主語にしているので、比較の対象も"that of"とする必要がありますが、"Substance A"を主語にすると、"than"の後は"Substance B"のみにすることができます。

☞Substance A has the surface harder than Substance B.

④ 最上級で表現する

◆このブロックが最も硬い。

☞This block is the hardest.

注)最上級に名詞が続くべきものであれば、名詞がなくても"the"を付す。

◆このブロックが最も早く加熱される。

☞This block heats fastest.

注)"fast"のように副詞が最上級の場合は、"the"を付さないことが多い。
「加熱される」を「熱くなる」と言い換えて自動詞"heat"で表現する。

(２)原級を使った比較

「原級」とは、比較級や最上級に変化していない、元の状態のことです。

① 同程度を「as＋原級＋as」で表現

◆物質Ａと物質Ｂは同じくらい硬い。

☞Substance A is as hard as Substance B (is).

② 程度を付した原級

◆物質Ａと物質Ｂの２倍(２分の１)(３分の１)の厚さである。

☞Substance A is twice (half) (one-third) as thick as Substance B.

③ 比較されるものより程度が低いことを表す

◆この発明は引用発明より複雑ではない。

☞This invention is <u>less</u> complicated than the cited invention.
◇「～より単純である(simpler)」といわずに「～より複雑ではない」という場合に“less”を付します(less expensiveなど)。

(3) compared toというフレーズ

◆物質Aは物質Bに比べると硬い。

☞Substance A is hard <u>compared to</u> Substance B.

☞Substance A is harder than substance B.

◆装置Aは装置Bに比べると効率的にデータを処理する。

☞System A processes data efficiently <u>compared to</u> System B.

◇「～と比べると～である」について、“compared to”を使わず比較級で英訳してもよいです。

「翻訳者の収入」

日本語→英語、英語→日本語の特許翻訳の相場は1ワード10～24円です。翻訳者が処理できる一日のワード数は私の経験から言うと、上限2500ワードであり、年間300日働くとすると年収は以下のとおりです。

10～24円×2500ワード×300日＝750～1800万円

もちろん、計算どおりにはいきません。「そんなに働けない」「そんなに仕事が来ない」等の事情があるからです。実際、翻訳者全体の平均年収は400～500万円。しかし、年収1000万円以上の方もいらっしゃることを知っています。

やり方や能力次第で年収が変わるのは事実ですが、特許翻訳は専門性が高く、敬遠されがちなのでチャンスです。たとえ年収が「750～1800万円」の半分でも、専門知識を使って自宅でできるのであれば、良い仕事だと思いませんか？

8．分詞構文
Participial Construction

以下の２つの文章は主語が同一なので、分詞構文を使って１つの文章にまとめることができます。主節の動作の「理由、条件、付帯状況、時、譲歩」などを表すのが分詞構文です。

a）音楽を聴く（I listen to music）

b）私はストレスを発散することができる（I can release my stress）

➢私は音楽を聴いてストレスを発散することができる。

◇これを通常の文章に書き換えると、以下のようになります。

☞After I listen to music, I can release my stress.

☞When I listen to music, I can release my stress.

◇上記例文では、主語（I）が同一であるため、以下のように分詞構文を使って簡潔に表現することができます。

☞Listening to music, I can release my stress.

↑分詞　↑主節

➢音楽を聴くと、私はストレスを発散することができる。

◇"When (After) I listen to music"は"I can release my stress"全体を説明しています。分詞の意味上の主語と主節の主語は同一です。分詞構文を使わない場合は接続詞や副詞等を用いて表現しますが、意味との対比でまとめると右表のようになります。

意味	分詞構文を使わない場合に用いる接続詞、副詞など
結果	and, as a result, consequently, eventually
理由	because, since, as
付帯状況	while
時	when, after, before, while
条件	if
譲歩	although, though

（1）分詞を置く位置

必ずしも主節より前に分詞を置くとは限りません。文中に入り込んだり、主節の後に置いたりすることがあります。

a) 文中に入り込んでいる分詞

◆研究者らは実験室に集まり、実験を始めた。

☞The researchers, gathering in the laboratory, started the experiment.

b) 主節の後に置かれる分詞

◆台風がこの地域を襲い、住民は避難せざるを得なかった。

☞The typhoon hit this area, causing the residents to evacuate.

c) 主節の前に置かれる分詞

◆実験室に入ったとき、研究者らは新しい実験器具を発見した。

☞Entering the laboratory, the researchers found new experimental tools.

(2) beingは省略されることが多い

be動詞(is, are, am)を分詞にすると"being"となり、これらは省略されることが多いです。

◆穴を窓から見ると、これらは非常に小さいボールのように見える。

☞When holes are viewed from the window, they appear to be very small balls.

◇上記下線部のbe動詞をing形にすると、以下のとおりになります。

☞Being viewed from the window, holes appear to be very small balls.

◇上記下線部の"Being"を省略すると以下のとおりになります。

☞Viewed from the window, holes appear to be very small balls.

◆その材料は金属製なので、すぐに加熱される。

☞Because the material is made of metal, it can be heated rapidly.

◇上記下線部のbe動詞をing形にすると、以下のとおりになります。

☞Being made of metal, the material can be heated rapidly.

◇上記下線部の"Being"を省略すると、以下のとおりになります。

☞Made of metal, the material can be heated rapidly.

(3)接続詞を置く

文章の意味を明確にするために、接続詞を置くことがあります。

◆研究者らは実験を行っている間に、いくつもの試験管を壊した。

☞While the researchers were conducting the experiment, they broke many test tubes.

◇上記下線部のbe動詞をing形にすると以下のとおりになります。

☞Conducting the experiment, the researchers broke many test tubes.

◇「～している間」の意味を明確にするために、"While"を置きます。

☞While conducting the experiment, the researchers broke many test tubes.

注)"While … ing"は「主語+be動詞」の省略と理解する考えもある。

(4)否定する言葉を置く場合

"not, never"など、否定する言葉は分詞の前に置かれます。

◆この技術を知らないので、発明が理解できない。

☞Not knowing this technology, I cannot understand this invention.

◆スマホを持っていなかったので、彼の写真を撮れなかった。

☞Not having a smartphone, I could not take his picture.

(5)主節と分詞の意味上の主語が異なる場合

主節と分詞の意味上の主語が異なる場合がありますが、これを「独立分詞構文」といいます。

◆その材料は金属製なので、研究者は簡単に加熱できる。

☞Because the material is made of metal, the researchers can heat it easily.

◇上記のように主語が異なるときは、以下のようにおのおのの主語を残します。

☞The material being made of metal, the researchers can heat it easily.

(6)主節と分詞の時制が異なる場合

複数の時制の組み合わせがありますが、以下にいくつか挙げてみます。

a）過去形と現在形

◆研究者らは昨晩集中的に実験を行ったので、疲れを感じている。

☞The researchers conducted the experiment intensively last night, so they feel tired.

◇分詞構文にすると、以下のとおりになります。

☞Having conducted the experiment intensively last night, the researchers feel tired.

b）過去完了形と過去形

◆研究者は明細書を読んでいたので、発明を説明できた。

☞Because the researcher had read the specification, he was able to explain the invention.

◇分詞構文にすると、以下のとおりになります。

☞Having read the specification, the researcher was able to explain the invention.

注）時間の前後が明確であるときは、過去完了にすることなく、以下のようにing形にすることも可能である。

☞Knowing the technology, the researcher was able to explain the invention.

c）現在完了形と現在形

◆研究者は明細書を読んだことがあるので、発明を説明できる。

☞As the researcher has read the specification, he can explain the invention.

◇分詞構文にすると、以下のとおりになります。

☞Having read the specification, the researcher can explain the invention.

以上、分詞構文の「having＋過去分詞」は現在完了と過去完了が形を変えた結果なので、現在完了と過去完了のいずれであるかを見分ける必要があります。

（７）特許翻訳にも使える分詞構文

以下のような文章も分詞構文で記載できます。まず、分詞構文ではない英文から考えてみましょう。

◆ブロックを南側に向けると、太陽光線を吸収する。

☞When a block is oriented south, it absorbs sunlight.

◇分詞構文にすると、以下のとおりになります。

☞Being oriented south, a block absorbs sunlight.

◇Beingを省略すると、以下のとおりになります。

☞Oriented south, a block absorbs sunlight.

◇分詞構文を使わずに、以下のように英訳することもできます。

☞A block is oriented south, and absorbs sunlight.

◇また、関係代名詞を使って一文にまとめることもできます。

☞A block which is oriented south absorbs sunlight.

◆図３を参照して、パーティションの組立方法を以下に説明する。

☞Referring to Fig. 3, we will explain a method of assembling a partition.

◇上記下線部が分詞構文です。

◆特許出願をする際に、出願審査請求もします。

☞We will make a request for substantive examination when filing the patent application.

◇これは接続詞“when”を付した分詞構文です。

◆クレーム４を残しつつ、クレーム１～３を削除します。

☞We will delete Claims 1 to 3 while retaining Claim 4.

◇これは接続詞“while”を付した分詞構文です。

◆メールに応答した後、サーバーはその情報をデータベースに格納する。

☞After responding to an email, a server stores the information in the database.

◇これは接続詞“after”を付した分詞構文ですが、分詞構文ではなく、“After … ing”は「前置詞＋動名詞」であるとする考え方もあります。以下のように書き換えることもできます。

➢サーバーはメールに応答し、その情報をデータベースに格納する。

☞A server responds to an email and thereafter stores the information in the database.

(8) 分詞構文から転じた慣用句

分詞構文から「慣用句」になっている例をいくつか挙げます。

慣用句	意味	慣用句	意味
judging from …	…から判断すると	considering …	…を考慮すると
generally speaking	概して	given …	…を考慮すると
strictly speaking	厳密に言うと	provided that …	…を条件として
frankly speaking	率直に言えば	concerning …	…に関して
according to …	…によると	all things considered	すべてを考慮すると
depending upon …	…によっては	regarding …	…に関して
weather permitting	天気が良ければ	compared with …	…と比較すると

◆彼の外観から判断すると、彼は50代半ばである。

☞Judging from his appearance, he is in his mid-fifties.

◇上記下線部は分詞構文です。このように主節と分詞の主語が異なっていても(懸垂分詞となっていても)、文法的には認められます。上記下線部について、慣用句を使わずに表現すると以下のようになります。

☞If we judge from his appearance, he is in his mid-fifties.

9．時や条件を表す副詞節

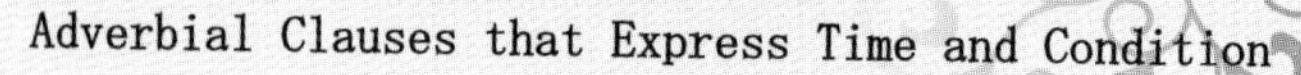

Adverbial Clauses that Express Time and Condition

「～するときに」「～するまでに」など、時を表す副詞節や、「もし～ならば」など、条件を表す副詞節があります。これを導くのが以下の接続詞等です。

(1) 時や条件を表す副詞節とは

① 時や条件を表す副詞節を導く接続詞等

時	when, after, before, by the time, as soon as, untilなど
条件	if, unless, as long as, in caseなど

② 時や条件を表す副詞節では未来形を使わない

◆明日晴れたらピクニックに行く。

☞I will go on a picnic if it is fine tomorrow.

　　↑主節　　　　　　↑副詞節

◇晴れるのは明日であっても、“will be fine”とせずに現在形で記載します。ただし、以下のとおり副詞節でも現在完了形は使えます。

◆作業者は仕事を終えた後に休憩を取るであろう。

☞The worker will take a rest after he finishes the work.

☞The worker will take a rest after he has finished the work.

◆作業者は日除けを完成した後に休憩を取った。

☞The worker took a rest after he finished the work.

☞The worker took a rest after he had finished the work.

◇「日除けを完成させた」と「休憩を取った」は、いずれも過去のことであり、「日除けを完成させた」ことのほうが「休憩を取った」ことよりも前なので、以下のとおり、“after節”で過去完了形を使うことができます（上記の場合は過去とそれ以前の前後関係が明白であるため、after節で現在完了形や過去完了形を使う必要はありません）。

③ if節で未来形を使うこともある

◇以下のように条件を表す“if …”という節で未来形を使うこともあります。

◆これを運んでくれたらうれしい。

☞I will be happy if you will carry this for me.

注) 相手にお願いする場合には、未来形を使う。

◆あなたがパーティーにどうしても行くのなら、私は止めない。

☞If you will go to the party, I will not stop you.

注) 相手の強い意志を表す場合は、未来形を使う。

(2) 名詞節との区別が必要

「いつ～するか」を意味する名詞節と区別する必要があります。

◆いつ休憩を取るか教えてください。

☞Tell me when you will take a rest.

注) when節が「いつ休憩を取るか」という名詞節を作っている。

◆いつ帰るのか教えてください。

☞Tell me when you will come home.

注) when節が「いつ帰るのか」という名詞節を作っている。

◇お気づきのように、名詞節では未来のことは未来形で表しています。この点で副詞節とは異なります。

◆彼は帰ってくるだろうか。

☞I wonder if he will come home.

注) ここでもif節が名詞節を作っている。“wonder”は「～かしらと思う」を意味し、この目的語がif節である。

◇このように、名詞節は文中で目的語や主語、補語になります。これに対し、副詞節は「～のとき」「～の場合」という意味を表して文章全体や動詞を修飾します。未来形を使えるかどうかを左右するので、この見極めが必要です。

10. 受動態を使う場合
When to use Passive Voice

(1)受動態の動作主体が明確な場合

日本語には誰かに「かわいがられる」「叱られる」「褒められる」など、人やモノから何かをされることを表現する「受け身の文章」がありますが、以下のように、あえて受け身にする必要がない場合もあります。

◆機械は作業員によって壊された。
➢作業員が機械を壊した。
☞The worker broke the machine.

◆シートが強い風により飛ばされた。
➢強い風がシートを飛ばした。
☞A strong wind blew off the sheet.

◇上記の例文は、いずれも「壊した／飛ばした」動作主体が明確なので、受動態で英訳する必要はありません。和文を受け身にする理由は、「壊された／飛ばされた」ことを強調したい場合など、書き手の好みともいえます。

こうした場合、元の和文が受け身であったとしても、簡潔性のために能動態で英訳して構いません。

(2)受動態にせざるを得ない場合

① 動作主体や原因が分からない

例えば、誰が放置しているのか分からない自転車は、「自転車が駅前に放置されている」と記載します。

このような受動態にせざるを得ない文章の主語は人とは限りません。「自転車が放置される」「皿が置かれる」「芝生が刈られる」など、むしろモノが主語になることが多いため、「無生物主語」を使うことになります。こうした場合の英訳は、受動態にせざるを得ません。

◆機械が壊された。
☞The machine was broken.

◆テントが飛ばされた。
☞The tent was blown off.

◇誰かのいたずらで機械が壊されたのか、テントが自然に飛んだのか、動作主体や原因等が分からないため、こうした場合は受動態とすべきなのです。

② 受動態で表現することが通例であるとき

「雨に降られる」「渋滞に遭う」など自然現象や事象に巻き込まれた場合、受動態にすることがあります。

◆雨に降られた。

☞I was caught in the rain.

◆渋滞に巻き込まれた。

☞I was caught in a traffic jam.

◇「〜として知られている」という場合も、受動態とすることが通例です。

◆彼は腕の良い代理人として知られている。

☞He is known as a skilled attorney.

(3) 能動態で書く努力をすべき

上記のように受動態にせざるを得ない場合は別として、日本人はあえて受動態を使うことがありますが、能動態で英文を書く努力をすべきです。

英語の受動態はbe動詞を追加して動詞の過去分詞形を使うため、能動態より文章が長くなり、読み手も「主語→by以降の動作主体→動詞の過去分詞形」を読んで意味を理解しなければならず、時間がかかるからです。

以下の例文を見比べてみてください。

◆ガラスは子どもによって割られた。

☞The glass was cracked by the kid.

➢子どもがガラスを割った。

☞The kid cracked the glass.

◆このブロックが最も早く加熱される。

☞This block is heated fastest.

➢このブロックが最も早く熱くなる。

☞This block heats fastest.

◇"heat"は「熱くなる」という自動詞でもあるため、このように訳すことで簡潔となります。上記例文を見ても、能動態の英文のほうが短く、主語、動詞、目的語(SVO)が明確で読みやすいと思いませんか?

【索引】

【おわりに】

特許翻訳が他の翻訳に比べてユニークな点を２つ挙げます。

１つ目は「期限」です。PCTの国内移行やパリ条約優先権、中間書類の期限があり、タイトなスケジュールで翻訳します。他人に依頼する場合、引き受けてくれるのか、期限までに仕上げてくれるのか心配が尽きません。私が翻訳者になろうと思い立ったのも、「差し迫った期限」がきっかけでした。

期限の３週間前、急に国内移行することとなり、引き受けてくれる翻訳会社を探し回りました。「自分で翻訳できればこの瞬間から作業を始められるのに」と思い、翻訳の勉強を始めました。

２つ目は「文書の特殊性」です。特許文書は外国特許庁で審査を受け、これを基に権利が与えられ、将来権利行使する可能性もある重要文書です。翻訳者は発明の思想、背景、明細書等の作成過程を知っている必要があります。

こうした特許翻訳の特性を踏まえつつ本書を書きました。皆さまには以下のようにそれぞれ目標があると思いますが、本書がその手助けになれば幸いです。

・企業の知財部員や特許事務所の方が自ら翻訳できるようになる
・外注や機械翻訳をしても、その結果を自分でチェックできるようになる
・翻訳者が特許や明細書の知識を身に付けて仕事の幅を広げる

さて、本書の校正作業に取り組んでいた３月11日のこと、うれしいニュースが飛び込んできました。「日除け」発明の特許査定が下りたのです！　拒絶理由通知を受けることもなく、一発合格で特許になりました！　特許番号が付与されるまで１カ月程度はかかるので、本書の発行と同じくらいのタイミングで特許公報が発行されることでしょう（補正もしていないので本書で紹介している内容と何ら変わりません）。

最後に、「日除け」発明を本書に掲載することについて、ご快諾いただいた株式会社フラクタル・ジャパンの山路克彦社長と、本書の発行に当たってさまざまなご助言とご指導をいただいた一般社団法人発明推進協会の原澤幸伸氏に対し、この場を借りて心から感謝を申し上げます。

2022年３月　著者

【著者紹介】

奥田 百子（おくだ ももこ）

1986年 慶應義塾大学法学部法律学科卒業
1987年 弁理士試験合格
江崎特許事務所勤務
1992年 東京法律会計事務所勤務
1996年 瀧野国際特許事務所勤務
1998年 奥田国際特許事務所勤務
現在、弁理士業務と同時にフリーランス翻訳者として講演・執筆活動を精力的に行っている。

【主な著作】
『国際特許出願マニュアル 第２版』（2013年：中央経済社）／『弁理士が基礎から教える特許翻訳のテクニック 第２版』（2015年：中央経済社）／『なるほど図解特許法のしくみ 第４版』（2017年：中央経済社）／『はじめての特許出願ガイド』（2019年：中央経済社）ほか

特許翻訳は誰でもできる！
プロの英訳ノウハウを伝授!!

Anyone can translate patents!
Patent translation professionals will teach you know-how !!

2022（令和４）年４月18日 初版発行

著　者　奥田 百子
©2022　Momoko Okuda
監　修　奥田 弘之（奥田国際特許事務所 所長・弁理士）
編集／発行　一般社団法人発明推進協会
〒105-0001
東京都港区虎ノ門３-１-１ 虎の門三丁目ビルディング
TEL 03-3502-5433（編集）／ TEL 03-3502-5491（販売）

落丁・乱丁本はお取り替えいたします。　印刷／製本／デザイン：株式会社クレス
ISBN978-4-8271-1366-2 C3032　Printed in Japan

発明推進協会ホームページ：http://www.jiii.or.jp